Escuela de Arte

INTRODUCCIÓN AL DIBUJO

Escuela de Arte

INTRODUCCIÓN AL DIBUJO

JAMES HORTON

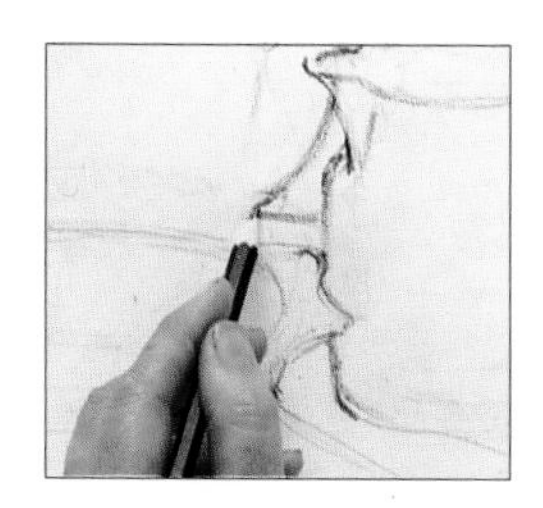
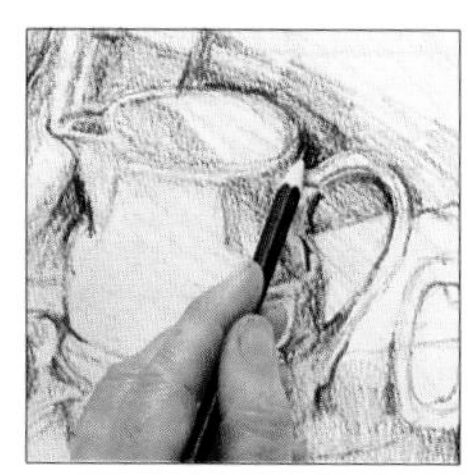
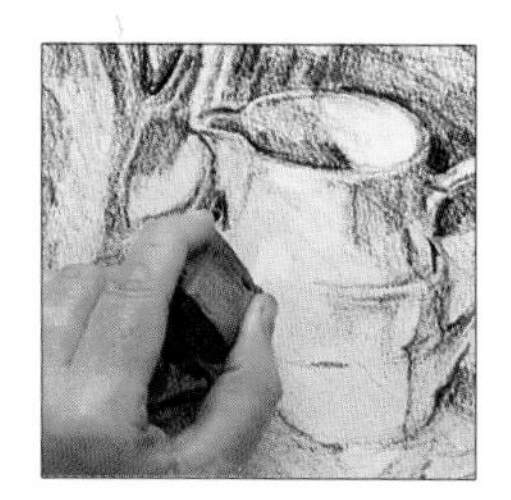

EDITORIAL SUDAMERICANA
BUENOS AIRES

A DORLING KINDERSLEY BOOK

Este libro
fue publicado por primera
vez en Gran Bretaña
en 1994
por Dorling Kindersley Limited,
9 Henrietta Street, London WC2E 8PS

Queda hecho el depósito
que previene la ley 11.723

Humberto I 531, Buenos Aires
Impreso en Singapur

ISBN 950-07-0982-1

CONTENIDO

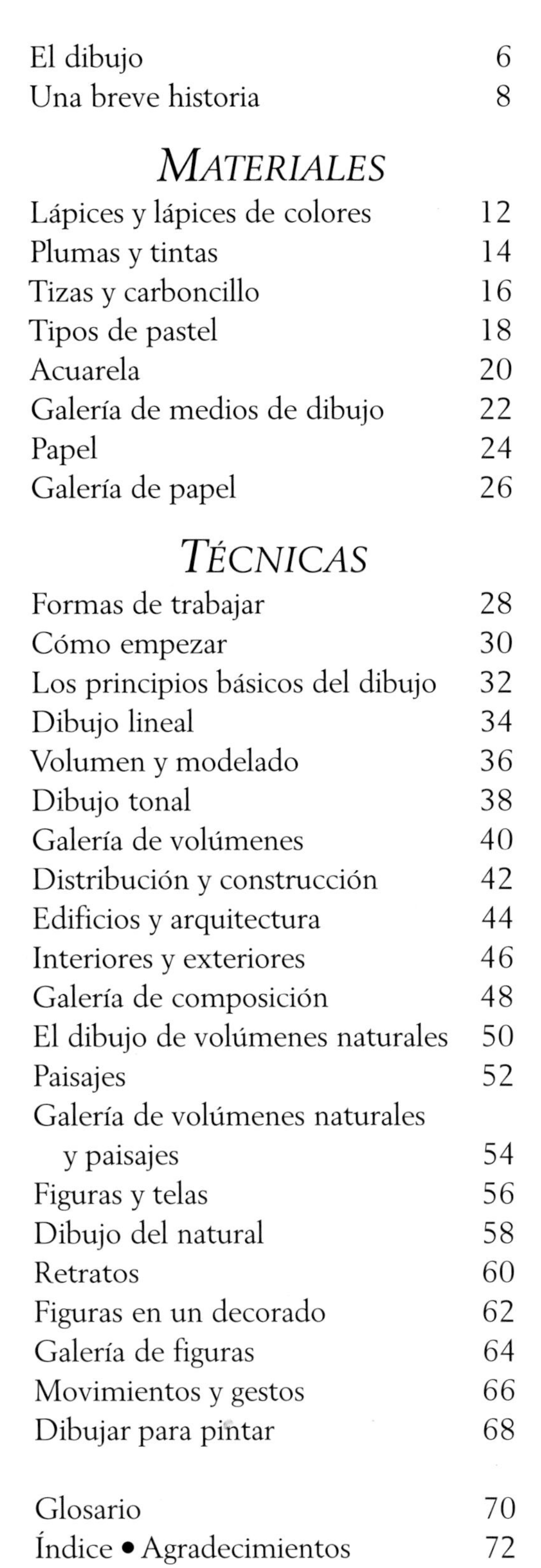

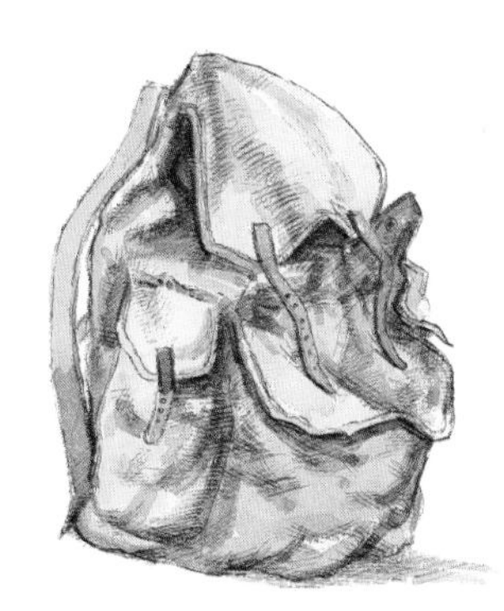

MATERIALES

TÉCNICAS

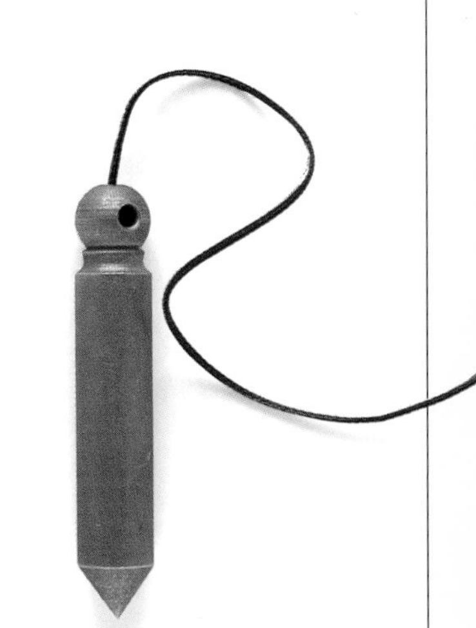

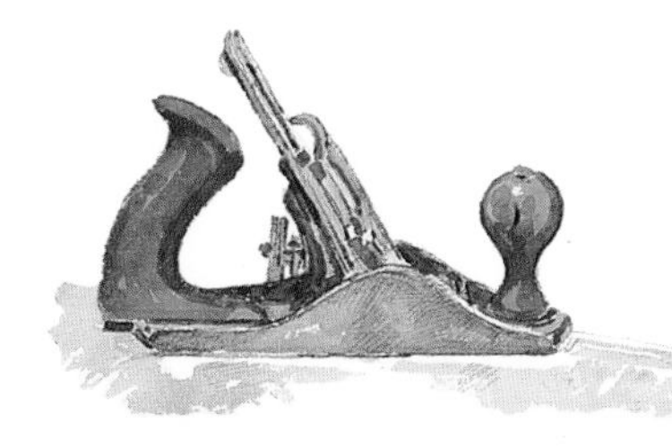

EL DIBUJO

CUANDO NIÑOS, TODOS HEMOS DIBUJADO o pintado, pero al hacernos mayores parecemos ignorar el significado que el dibujo posee como fuente vital de comunicación y distracción. El dibujo es aún una de las mejores maneras de transmitir una información directamente, a pesar del creciente dominio de la fotografía. Los científicos y, en particular, los arqueólogos prefieren dibujar muchas de las piezas que hallan porque un dibujo detallado puede ser más preciso y contener más información que una fotografía, que implica un proceso de selección. La mayoría de las guías de campo de historia natural se basan en dibujos detallados cuyo fin es facilitar la identificación de los distintos elementos.

El mejor enfoque

Como adultos vemos el mundo de una manera muy distinta a la de los niños. Nuestra mayor experiencia nos hace más conscientes de lo que consideramos correcto o no (aunque con frecuencia puede ser objeto de malas interpretaciones) y esto a menudo puede crear inhibiciones. Sin embargo, no hay nada intrínsecamente misterioso en la mecánica del dibujo, y cualquiera puede aprenderla si adopta un enfoque correcto. Al igual que podría ocurrir con cualquier otro tema, la práctica es esencial para lograr buenos resultados.

Dibujar bien consiste en percibir el mundo que le rodea e interpretarlo con su propia visión personal.

La interpretación de lo que ve

En última instancia, el dibujo consiste más en aprender a percibir lo que se ve, que en adquirir habilidades con la mano. La calidad de lo que uno dibuja en el papel es un reflejo de su imaginación y de la manera en que decide interpretar lo que ve. Mire con perspicacia los objetos y asegúrese de captar toda la información posible para dar a sus dibujos frescura y un toque personal. No tema repetir líneas o trazos hasta que un dibujo tenga un aspecto adecuado; uno de los grandes errores de concepto sobre el proceso de dibujar es que

la gente intenta borrar lo que cree que es un error, pensando que estropeará el resultado final. Por el contrario, cada trazo refleja la progresión del dibujo y, a menudo, lo enriquece y le da vitalidad.

La solución de problemas

El dibujo es quizá la más directa de las artes, con una inmediatez que le permite registrar instantáneamente lo que ve; un dibujo del natural puede ser a la vez estimulante y gratificante. Es muy posible que alguien que disfrute resolviendo crucigramas quede fascinado con la práctica del dibujo al descubrir, por ejemplo, cómo crear una perspectiva en un paisaje o cómo escorzar una figura reclinada. Resulta curioso que, a menudo, los mejores dibujos sean aquellos en los que un artista ha luchado por resolver aspectos problemáticos de una composición para lograr una imagen tangible.

Materiales conocidos

Los artistas han tenido a su disposición, durante cientos de años, muchos de los materiales que aparecen en este libro; el equipo utilizado hoy en día es similar al de los artistas del Renacimiento, quinientos años atrás. El dibujo con un trozo de carboncillo sobre papel sigue exactamente el mismo proceso en la actualidad que entonces. Resulta tranquilizador pensar que los placeres y beneficios básicos del dibujo perdurarán a lo largo del tiempo a pesar del desarrollo de la tecnología moderna y de los sofisticados materiales que hoy podemos adquirir.

UNA BREVE HISTORIA

LA HISTORIA DEL DIBUJO es tan antigua como el hombre mismo. Se han descubierto pinturas en cuevas que datan del año 10.000 a.C., por lo que se puede decir que al hombre le ha interesado desde siempre la realización de imágenes. Sin embargo, fue durante el Renacimiento italiano que los artistas desarrollaron con mayor profundidad su habilidad para el dibujo, técnica que se convirtió en la base de todas las demás disciplinas artísticas.

Pontormo,
Estudio para el Arcángel de la Anunciación,
h. 1525-1530, *391 × 215 cm*
Generalmente se considera a Pontormo uno de los más grandes dibujantes del Renacimiento; era muy célebre por sus retratos. Este estudio, con una sutil mezcla de tiza y aguada, es de una hermosa sensibilidad, a pesar de la forma sólida de la figura y de la caída del manto que la envuelve.

UNA DE LAS RAZONES por las que el dibujo estaba tan altamente considerado durante este período era su estrecha relación con la gran profesión de pintor; un escultor o un pintor tenía una posición distinguida en la sociedad y los que eran buenos trabajaban constantemente. Los artistas renacentistas, como Miguel Ángel (*1475-1564*), empleaban a numerosos asistentes y tenían un gran taller para cubrir la ingente cantidad de encargos. Desafortunadamente, la mayoría de los dibujos preparatorios que estos artistas hicieron para los cuadros —que hoy en día consideraríamos importantes por derecho propio— fueron destruidos una vez el proyecto estuvo terminado.

Es más, a los clientes se les presentaban dibujos terminados para que escogiesen la forma del retrato que habían encargado. Holbein (*1497/1498-1543*) tuvo una vez la difícil tarea de realizar un dibujo favorecedor de una posible esposa de Enrique VIII para que ésta lograse la aprobación del rey inglés.

Hans Holbein,
Charles de Solier, señor de Morette,
h. 1534-1535,
33 × 25 cm
A Holbein le fueron encargados muchos retratos. La gran calidad de sus líneas favorece las facciones de esta figura y le imparte un gran sentido de autoridad.

El norte de Europa

Lejos del elevado arte clásico de Italia, el pintor flamenco Pieter Bruegel (*1525-1569*) utilizó el dibujo para describir el mundo cotidiano que le rodeaba; sus escenas campesinas tan realistas provocaron gran admiración. Bruegel fue uno de los muchos artistas en Holanda y Flandes durante los siglos XVI y XVII que cultivaron un género basado en las vidas de la gente común. Aunque esta «época dorada» de la pintura holandesa deba poco a Italia, el aprendizaje de un artista se basaba en el dibujo de figuras, lo que, en última instancia, suponía una peregrinación a Italia.

Un artista holandés que nunca viajó a Italia fue Rembrandt (*1606-1669*), al que hoy en día se conoce especialmente por sus trabajos gráficos sobre papel. Como pintor de retratos dibujaba a cualquiera que le interesara, desde un viejo mendigo hasta un noble, con una percepción asombrosa —a menudo con su medio favorito: plumilla, pincel y aguada de bistre (un pigmento marrón transparente fabricado a partir de hollín).

Pieter Bruegel el Viejo, *Verano,* 1568, *22 × 29 cm*
Este estudio sobre la vida campesina en la Flandes del siglo XVI, hermosamente dibujado, tiene un diseño bastante formal: las guadañas de las dos figuras principales dirigen la mirada hacia el centro y el fondo de la composición. Bruegel poseía, además, la habilidad de introducir un fuerte mensaje social en sus descripciones humorísticas de la vida.

Artistas contemporáneos

Un gran artista contemporáneo de Rembrandt en la vecina Flandes fue Rubens (*1577-1640*). Como dibujante no tenía parangón, y fue uno de los pocos creadores que consiguió que el proceso de dibujar pareciera sencillo. Realizó numerosos dibujos, no únicamente estudios preparatorios para la ingente cantidad de encargos que recibía, sino también, en una escala mucho más íntima, retratos de su familia y sirvientes con la frescura e inmediatez que el dibujo posibilita.

Curiosamente, algunas de las mayores figuras del siglo XVII, como Vermeer (*1632-1675*), Caravaggio (*1571-1610*) y Velázquez (*1599-1660*), dejaron pocos o ningún dibujo. Aunque es altamente improbable que estos artistas nunca dibujaran, posiblemente optaron por solucionar los problemas directamente sobre la tela.

Canaletto, *Vista desde los jardines de Somerset sobre el puente de Londres,* h. 1750, *60 × 185 cm*
Canaletto era famoso por sus detalladas pinturas y dibujos de escenas arquitectónicas. La hermosa claridad de este trabajo se ha logrado al dibujar primero una panorámica a lápiz que después se ha cubierto con tinta marrón y una aguada gris.

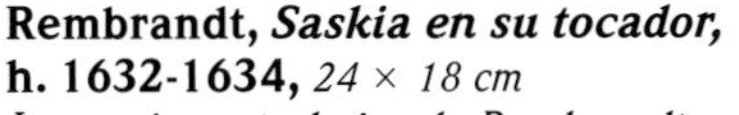

Rembrandt, *Saskia en su tocador,* h. 1632-1634, *24 × 18 cm*
Los mejores trabajos de Rembrandt son aquellos en que captaba un instante concreto. Este dibujo refleja la precisión con que observa su ojo al trabajar con maestría, primero con pluma y tinta y después con un pincel cargado. El resultado es un dibujo lúcido y un evocador reflejo de una escena cotidiana.

Los retratos

Aunque no aparecieron figuras muy destacadas equiparables a las del siglo anterior, el XVIII mantuvo vivo el retrato de encargo. En Francia, Watteau (*1684-1721*) produjo bellos estudios de figuras, cabezas y ropajes con su medio favorito, las tizas rojas, negras y blancas, mientras que en Italia Giambattista Tiépolo (*1696-1770*), posiblemente el artista de más categoría de su tiempo, utilizó la pluma y la aguada para sus dibujos, sin parangón en su época.

Dibujos a lápiz

En el siglo XIX se produjo un gran auge artístico que comenzó, en Inglaterra, con Turner (*1775-1851*) y Constable (*1776-1837*), y en Francia con Delacroix (*1798-1863*) e Ingres (*1780-1867*). En aquella época se utilizaban lápices de mina y Constable recurrió a este medio para crear con gran sutileza y expresividad muchas de las pequeñas imágenes del Suffolk rural que aparecen en su cuaderno de apuntes. Turner desarrolló en su juventud una capacidad de observación casi increíble y una gran habilidad para dibujar catedrales y edificios con un lápiz de mina.

Los retratos aún estaban de moda y los estudios dibujados por el pintor neoclásico francés Ingres eran tan reales y semejantes al natural que no cabía duda alguna sobre el modelo. Otro artista contemporáneo, gran rival de Ingres, fue Delacroix, quien era además un espíritu romántico libre. Realizó estudios a la manera tradicional para grandes cuadros históricos, pero también dibujó todo aquello que llamaba su atención. En esa época, previa al advenimiento de la fotografía, los dibujos eran la única manera en la que Delacroix podía describir el viaje que hizo a Marruecos en 1832. Algunos informes de la época confirman que dibujaba noche y día, en su afán por no olvidar los ricos matices que le ofrecía el mundo árabe.

John Constable, *Olmos en Old Hall Park, East Bergholt,* 1817,
59 × 50 cm
A diferencia de Turner, quien utilizó una gran variedad de medios en sus dibujos, Constable, para describir el paisaje que le rodeaba, prefería utilizar los materiales por separado. Empleó con gran agudeza el lápiz para captar con increíble detalle el crecimiento orgánico de estos olmos fácilmente reconocibles.

Eugène Delacroix, *Árabe sentado,* h. 1832, *38 × 46 cm*
Este estudio es uno de los típicos bocetos que Delacroix realizó durante su viaje por Marruecos. Probablemente dibujó la figura del natural a toda prisa y añadió más tarde aguadas de acuarela.

La llegada de la modernidad

De todos los grandes dibujantes del siglo XIX, uno especialmente innovador asimiló todo aquello que se le presentaba: Edgar Degas (*1834-1917*), cuya obra se basó siempre en el dibujo. Incluso siendo ya un artista de mediana edad, bien establecido, copió trabajos de otros maestros para aumentar su conocimiento del arte y mejorar su técnica. La enorme producción de Degas, que incluye dibujos, pasteles, monotipos y aguafuertes, representa un gran logro pero, en el momento de su muerte, en 1917, el movimiento de arte moderno ya estaba en auge y se dirigía rápidamente hacia un lenguaje que él no habría reconocido.

La historia del dibujo a partir de este punto presenta altibajos y se desarrolló de forma muy diferente a cada lado del canal de La Mancha. Mientras que Francia se adentró en la modernidad, impulsada por artistas como Henri Matisse (*1869-1954*), Inglaterra se mantuvo más ligada al dibujo. A principios de siglo, Inglaterra fue testigo del nacimiento de varias escuelas de arte que ponían, todas ellas, gran énfasis en el dibujo, y a pesar de la existencia de varios movimientos de arte modernos, el dibujo continuó siendo el puntal del aprendizaje de los estudiantes. El trabajo de algunos artistas como Augustus John (*1878-1961*) y más tarde Stanley Spencer

(*1891-1959*) son testimonios del significado del dibujo en Inglaterra durante los turbulentos años de principios del siglo XX.

Un artista que ha llevado el dibujo a un primer plano en la imaginación contemporánea es David Hockney (*n. 1937*). Inspirado por Pablo Picasso (*1881-1973*), quien tenía un estilo extraordinariamente versátil y «no estaba limitado por la "forma"», Hockney se recrea en el lirismo y la fuerza de la línea pura. Al preferir la belleza expresiva de los dibujos a un acercamiento más pictórico, Hockney ha llevado su expresión artística a un público mucho más amplio que en cualquier época anterior.

Edgar Degas, *Mujer en el baño,* h. 1885, *70 × 70 cm*
Con una enseñanza clásica, Degas desarrolló su propio método de trabajo con pasteles. Superponía capas y utilizaba trazos de colores que se mezclaban ópticamente para dar una riqueza extraordinaria a la composición.

Vincent van Gogh, *Barcas de arena,* 1888, *49 × 60 cm*
Van Gogh explotó el potencial de la pluma y la tinta al completo en este dibujo para producir una imagen viva con una línea espontánea. Una gran variedad de trazos y efectos punteados crean una superficie brillante y en movimiento realzada por una composición dinámica. La fuerte diagonal del muelle y la línea del horizonte que se corta en la parte superior del dibujo crean el entorno ideal para esta escena de actividad y movimiento constantes.

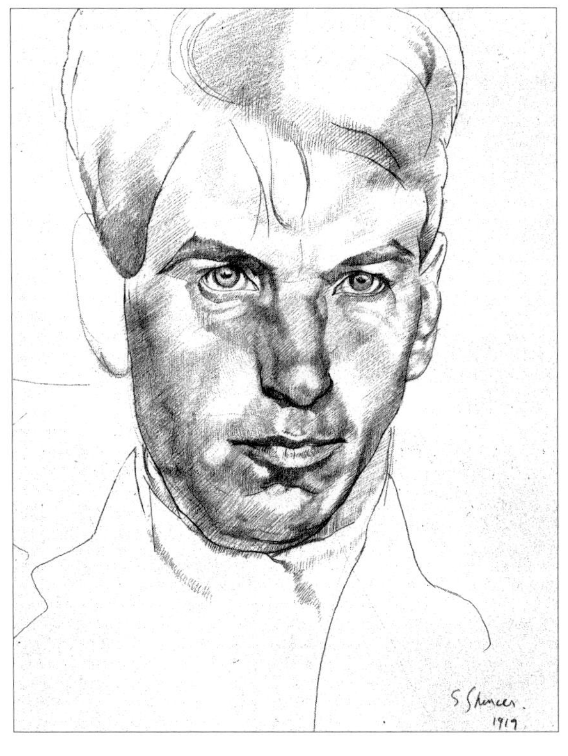

Stanley Spencer, *Autorretrato,* 1919, *36 × 23 cm*
Los fuertes contornos y sutiles tonalidades de este estudio a lápiz le proporcionan una impresionante calidad escultórica. La solidez de la línea y las tonalidades suaves contrastan con la aparente simplicidad del medio.

LÁPICES Y LÁPICES DE COLORES

Los lápices son el medio más sencillo e inmediato para dibujar, y permiten crear una amplia gama de grafías fuertes o suaves. Lo que conocemos como un «lápiz de mina» está compuesto de grafito: una mezcla de arcilla y grafito mineral en forma de una varilla que se envuelve en madera de cedro. Existe una gama de grados de dureza, desde el muy duro hasta el muy blando, aunque los artistas raramente emplean las variedades más duras porque no permiten una amplia expresión al dibujar. Los lápices de colores son una innovación relativamente reciente, y su naturaleza cerosa implica que los colores individuales se mantienen al superponerse.

Estudio en punta de plata
La punta de plata, una versión original del popular lápiz de los tiempos del Renacimiento, es un medio hermoso, como muestra este estudio de Fouquet del siglo xv. El principio básico de la punta de plata consiste en depositar una capa metálica arrastrando un trozo de plata pura sobre un papel previamente preparado con acuarela de blanco de China.

Lápices de grafito

Lápiz 2B

Lápiz 4B

Lápiz 6B

Lápiz 8B

Lápiz soluble en agua

Barras de grafito

Barra de grafito 6B

Barra de grafito 6B envuelta en plástico

Barra de grafito y soporte

Lápices de grafito
Los lápices de grafito varían en textura desde un 8H duro hasta un 8B blando, con un HB medio entre ambos. En la práctica, logrará buenos resultados con una selección de 2B, 4B, 6B y 8B. Otra opción es un lápiz soluble en agua, que proporciona trazos ricos y negros y puede diluirse en agua para crear una aguada transparente.

Barras de grafito
El grafito también se encuentra en barras que pueden sujetarse en un soporte o se venden envueltas en una delgada película de plástico. Son ideales para trabajos a gran escala.

Lápices de colores
Los lápices de colores difieren de los pasteles en que no pueden mezclarse. La superposición de capas de tramas cruzadas puede producir lo que se conoce como una «mezcla óptica» de color —un efecto visual en el cual los colores superpuestos parecen mezclarse (superior).

Lápices solubles en agua
Los lápices solubles en agua son otra innovación que suponen una alternativa a la caja de acuarelas. Los trazos a lápiz se disuelven al entrar en contacto con el agua y producen una aguada de color que puede trabajar con un pincel.

Afiladores
Mantenga siempre sus lápices bien afilados. Una cuchilla crea una punta más larga y afilada que un sacapuntas.

Gomas de borrar
Una goma blanda es más adaptable que una de plástico, ya que puede moldearla en punta para eliminar cualquier marca molesta.

Fijador
Una vez terminados, cubra la superficie de todos sus dibujos con un fijador para evitar que se emborronen. El fijador es una resina mezclada con un disolvente, de manera que cuando éste se seca sobre la superficie del papel, la resina permanece y forma una capa protectora. El fijador se comercializa en dos formas: líquido con una boquilla difusora o en aerosol grande o pequeño.

PLUMAS Y TINTAS

DURANTE SIGLOS, la pluma y la tinta han sido uno de los medios de dibujo más comunes. En el pasado, las plumas estaban hechas a partir de plumas de aves, aunque también se empleaban juncos o cañas y tallos de bambú. Hoy en día, existe una amplia gama de plumas entre las que elegir; muchas de ellas se pueden emplear con fines artísticos, aunque la calidad de la tinta de la mayoría es bastante pobre y se decolorará con el tiempo. El dibujo a tinta es siempre un gran reto, ya que la tinta no puede borrarse y en muchos sentidos constituye la esencia del dibujo. Cada trazo se convierte en una parte vital del dibujo y muchos errores pueden utilizarse de forma constructiva.

Pluma natural
Tradicionalmente se utilizaban las plumas de ganso, que incluso hoy en día son difíciles de igualar en términos de flexibilidad y versatilidad. Cada pluma tiene un comportamiento diferente, según sea la fuerza y resistencia de su cañón.

La elección de la pluma
Con una variedad tan grande, la única manera de conocer cuál es la idónea para su estilo es probar varias al azar. Un portaplumas estándar admitirá una variedad de plumines de diferentes anchos, cada uno de los cuales dará un tipo de línea diferente en función de la presión ejercida. Por otra parte, las plumas para dibujo técnico, que también presentan toda una gama de tamaños, son duras y poco flexibles y producen una línea de anchura regular, independientemente de la presión. Las plumas estilográficas son más convenientes y producen una buena gama de líneas.

FABRICAR UN PLUMÍN

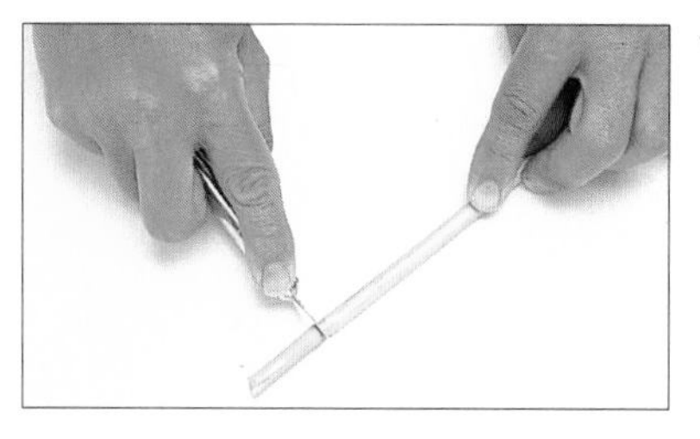

1 *Tanto las cañas como el bambú y las plumas de ganso sirven para fabricar un plumín. Con una cuchilla haga un corte limpio a través del extremo de una caña.*

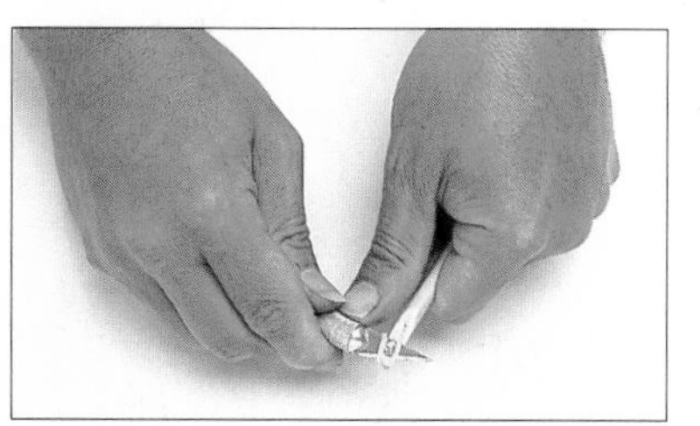

2 *Corte una sección curva en la parte posterior y afile la frontal hasta formar una punta con dos cortes y una inclinación de 45°. Haga un pequeño corte para dividir el plumín.*

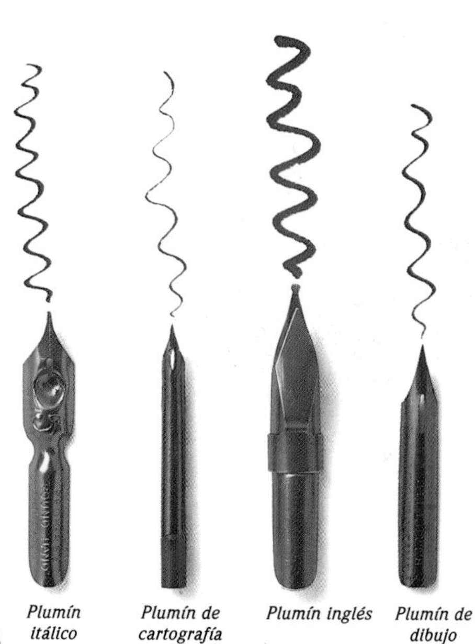

Plumín itálico · *Plumín de cartografía* · *Plumín inglés* · *Plumín de dibujo*

Pluma de caña
*El junco común (*Phragmites*) se utiliza normalmente para fabricar plumas de caña y, al igual que las plumas de ave, cada una produce un tipo distinto de grafía. Las plumas de fibras naturales necesitan una división longitudinal en la punta para retener la tinta.*

Plumas de inmersión
Las plumas de inmersión responden bien a la presión que se ejerce para obtener una línea más gruesa o más fina.

Pluma para bocetos
Esta pluma tiene un plumín metálico flexible y el formato de una estilográfica.

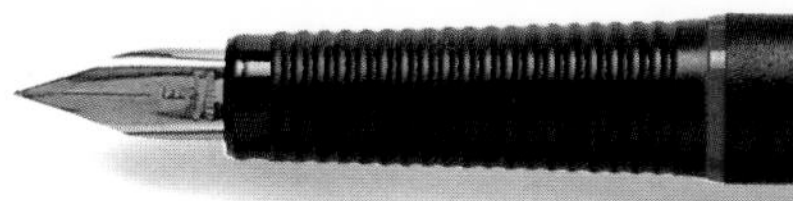

Pluma para bocetos

Bolígrafo rotulador
Los bolígrafos rotuladores actúan como los bolígrafos convencionales y proporcionan un flujo constante de tinta.

Bolígrafo rotulador

Rotulador de punta fina
Su punta de fieltro permite que la tinta fluya suavemente en líneas finas.

Rotulador de punta fina

Pluma de dibujo técnico
Proporciona un buen control y una línea consistente.

Pluma de dibujo técnico

Pincel chino

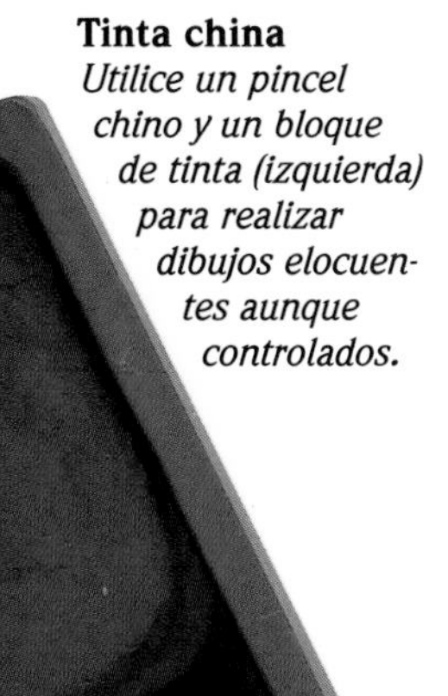

Tinta china

Tinta china
Utilice un pincel chino y un bloque de tinta (izquierda) para realizar dibujos elocuentes aunque controlados.

El empleo de la tinta correcta

De los dos tipos básicos de tinta —permeables e indelebles al agua— la mayoría de las tintas permeables se decolorarán si se exponen a la luz. Para comprobar la resistencia a la luz dibuje algunas líneas con diferentes tintas sobre un trozo de papel, cubra una mitad y deje la otra expuesta a la luz durante varios meses.

Hoja de roble dibujada con tinta de agallas de roble

PREPARAR TINTA

Puede preparar una tinta permanente de color sepia con las agallas de los robles. Pulverice las agallas y hierva el polvo en agua durante dos o tres horas hasta que el líquido sea lo suficientemente oscuro; fíltrelo.

Tintas coloreadas
De las muchas tintas coloreadas disponibles, los colores más usuales para el dibujo son el negro y los marrones. En el pasado, la tinta se fabricaba a partir de negro de humo u ocre rojo molidos y una solución de cola o goma; se presentaba en forma de barritas o bloques para mezclar con agua. La tinta india es una mezcla de negro de humo de gas natural y agua estabilizada por una solución alcalina como goma arábiga o goma laca (una sustancia resinosa utilizada para preparar barnices).

Tinta negra

Tinta sepia

Tinta siena natural

TIZAS Y CARBONCILLO

LA TIZA BLANCA ES UNO DE LOS MEDIOS DE DIBUJO más antiguos y se ha utilizado en su estado natural para realzar los dibujos de los artistas durante cientos de años. La tiza roja, conocida como sanguina, es una tierra color óxido que se encuentra en regiones como el centro de Italia. Hoy en día, se producen tizas coloreadas mezclando piedra caliza con pigmento, agua y un medio aglutinante. El carboncillo, otro material natural compuesto habitualmente por sauce carbonizado, es otro medio muy versátil que también se ha utilizado durante cientos de años. Hoy en día este material se comprime a menudo para formar barritas sólidas.

Sanguina
La sanguina —de color rojo sangre— puede utilizarse en su forma natural afilando un trozo de esta tiza roja para formar una punta y sujetándola en un soporte. La sanguina artificial se fabrica a partir de óxido de hierro y tiza modelada en forma de barras, varillas o lápices.

Carboncillo de sauce

Carboncillo comprimido

Carboncillo
La rica y aterciopelada calidad del negro del carboncillo lo convierte en uno de los medios más fuertes y evocadores. Se comercializa con diferentes grosores y grados de dureza. El carboncillo comprimido tiene un aspecto más intenso que el de las ramas de sauce o parra.

Lápiz Conté sanguina

Lápiz Conté marrón

Tiza de dibujo azul

Tiza de dibujo blanca

Lápiz de carboncillo 6B

Lápiz de carboncillo 4B

Lápiz pastel sanguina

Lápices Conté
En versión más dura que la tiza, los lápices Conté se fabrican en una amplia gama de colores.

Tizas de dibujo
De textura y aspecto similares a los de los pasteles, dejan una capa más fina de color que los lápices Conté. La blanca sólo se aprecia aplicada sobre papel coloreado o sobre otro color.

Lápices carboncillo
Más duros que las barritas y graduados, estos lápices pueden afilarse hasta obtener la punta fina necesaria para un trabajo detallado.

Lápices pastel
Los lápices pastel son ideales para crear líneas finas y mezclas delicadas.

El dibujo con lápices Conté

Los lápices Conté son una versión dura de la tiza, mezclada con pigmento y grafito, aglutinada con goma y una pequeña cantidad de grasa. Su composición hace que las líneas trazadas por accidente o erróneamente sean menos sencillas de borrar. Sin embargo, reaccionan de la misma forma que la tiza cuando se mezclan con agua: liberan el pigmento sobre el papel y actúan como una aguada. Utilice un papel texturado para realzar las cualidades distintivas del lápiz Conté.

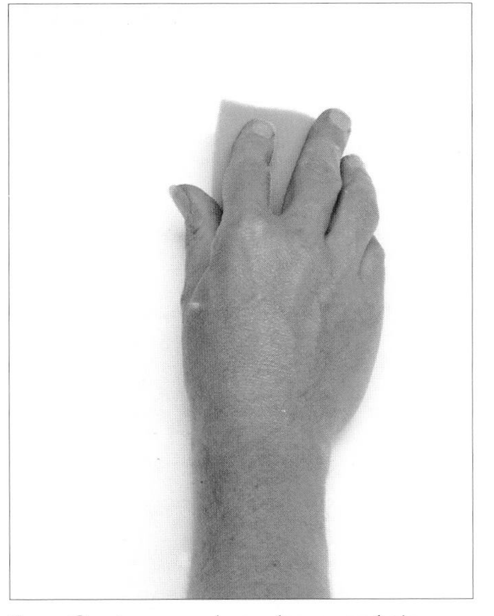

1 ▲ Comience por humedecer una hoja grande de papel con una esponja sintética. Esta superficie húmeda hará que las marcas del lápiz absorban parte del agua y parezcan más gruesas y densas, con lo que la figura ganará solidez.

2 ▲Dibuje los contornos de la figura con un lápiz Conté marrón; trace un boceto rápido para comenzar y refuerce las líneas una vez que esté conforme con las proporciones. No se preocupe si repite alguna línea o si necesita alterar algún trazo.

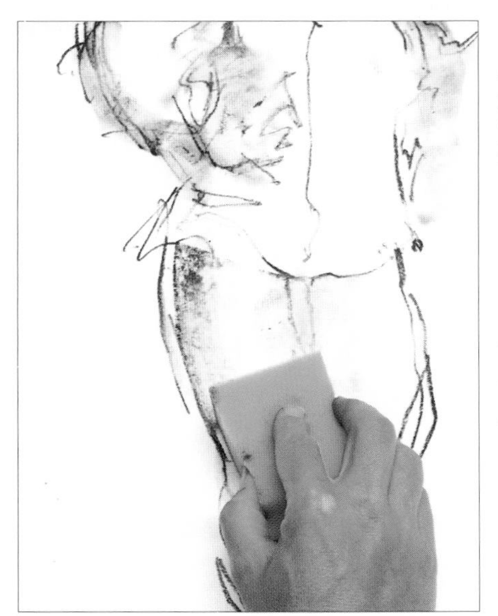

3 ▲Utilice ahora la esponja sintética húmeda para disolver parte del pigmento de los trazos. El pigmento debe dispersarse y formar una aguada clara que dé forma a la figura.

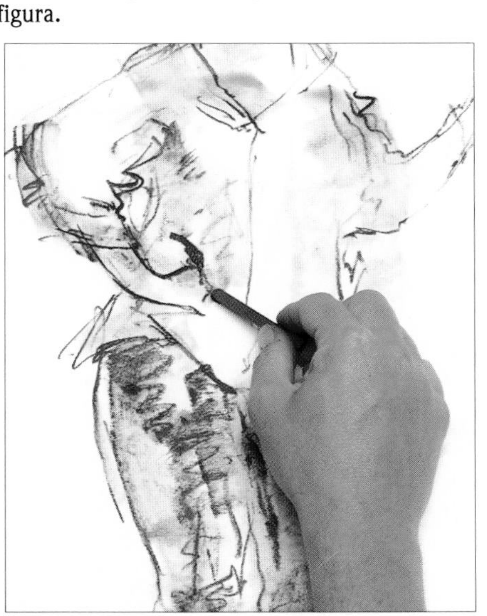

4 ◄ Utilice la punta del lápiz para describir los pliegues oscuros de la camisa y añada otros detalles como, por ejemplo, los dedos de la mano de la chica.

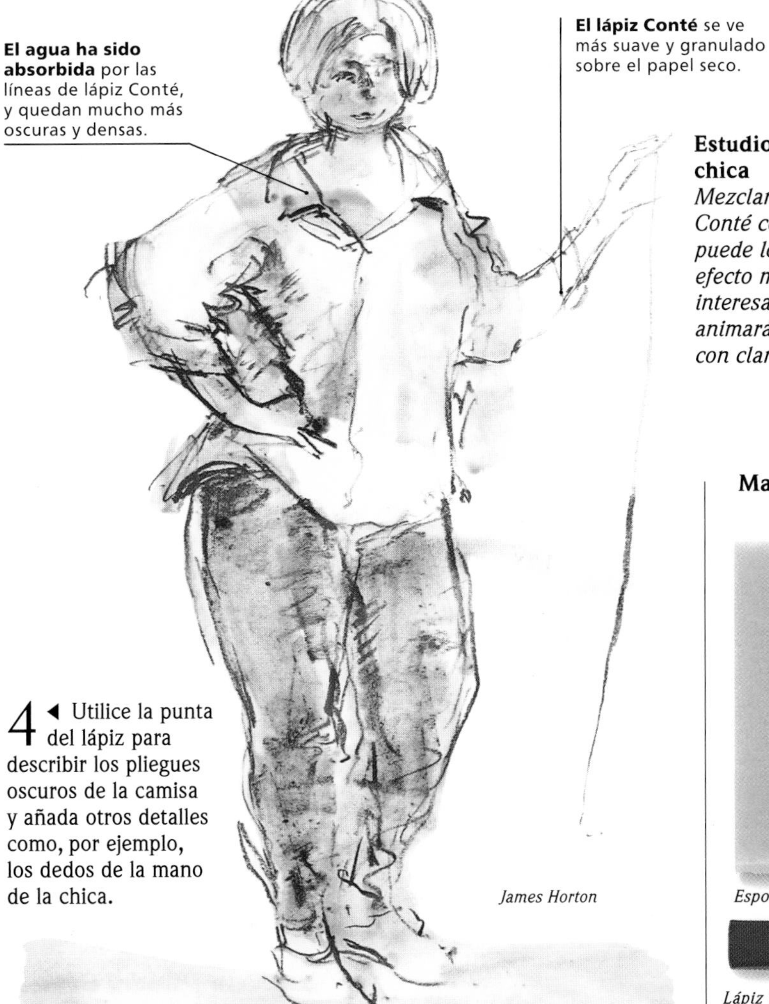

El agua ha sido absorbida por las líneas de lápiz Conté, y quedan mucho más oscuras y densas.

El lápiz Conté se ve más suave y granulado sobre el papel seco.

James Horton

Estudio de una chica

Mezclando el lápiz Conté con agua puede lograr un efecto muy interesante que le animará a dibujar con claridad.

Materiales

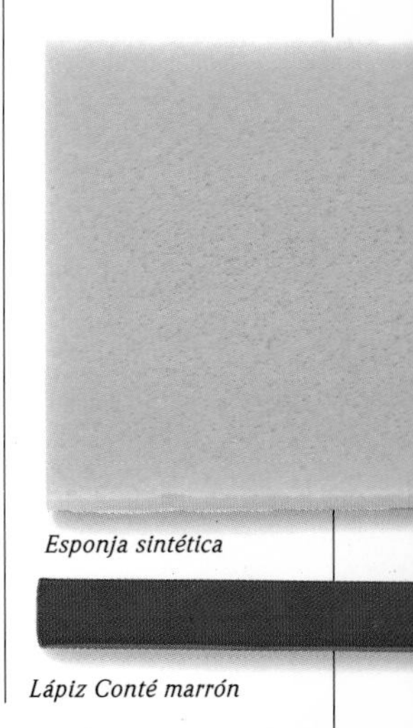

Esponja sintética

Lápiz Conté marrón

TIPOS DE PASTEL

LA NATURALEZA OPACA de los suaves tonos pastel y su capacidad para recubrir una superficie fácilmente permiten que este medio se utilice con bastante frecuencia como si se tratase de una pintura. Sin embargo, los pasteles no pueden mezclarse de la misma forma que aquella, por lo que permanecen en el ámbito del dibujo, siempre que las barras secas de pigmento tengan que aplicarse individualmente sobre la superficie del papel en una serie de señales, para después sobreponerlas o mezclarlas con otras. Los pasteles consisten esencialmente en tiza que se ha mezclado con pigmento y con un agente aglutinante. Su dureza varía según los pigmentos empleados y la proporción de goma y tiza. Cuanto mayor sea su dureza, más indicados serán para un trabajo con líneas.

Cajas de pastel
Los pasteles se venden individualmente o en cajas surtidas, convenientemente envasados para mantener los colores limpios y protegidos.

Tizas pastel
Estas barras de pastel, en colores brillantes y fáciles de manipular, constituyen la forma más popular de pastel. La pureza del pigmento se logra utilizando una pequeña cantidad de solución de goma para unir las diversas cantidades de tiza coloreada y lograr una forma sólida.

Lápices pastel
Los lápices pastel son una versión más dura de las barras. Mientras que su formato de lápiz los hace ideales para los trabajos detallados y modelados delicados, resultan menos adecuados para cubrir superficies grandes.

Proteja sus trabajos
La composición polvorienta de los pasteles los hace susceptibles de emborronarse, por lo que debe proteger sus dibujos con hojas de papel vegetal.

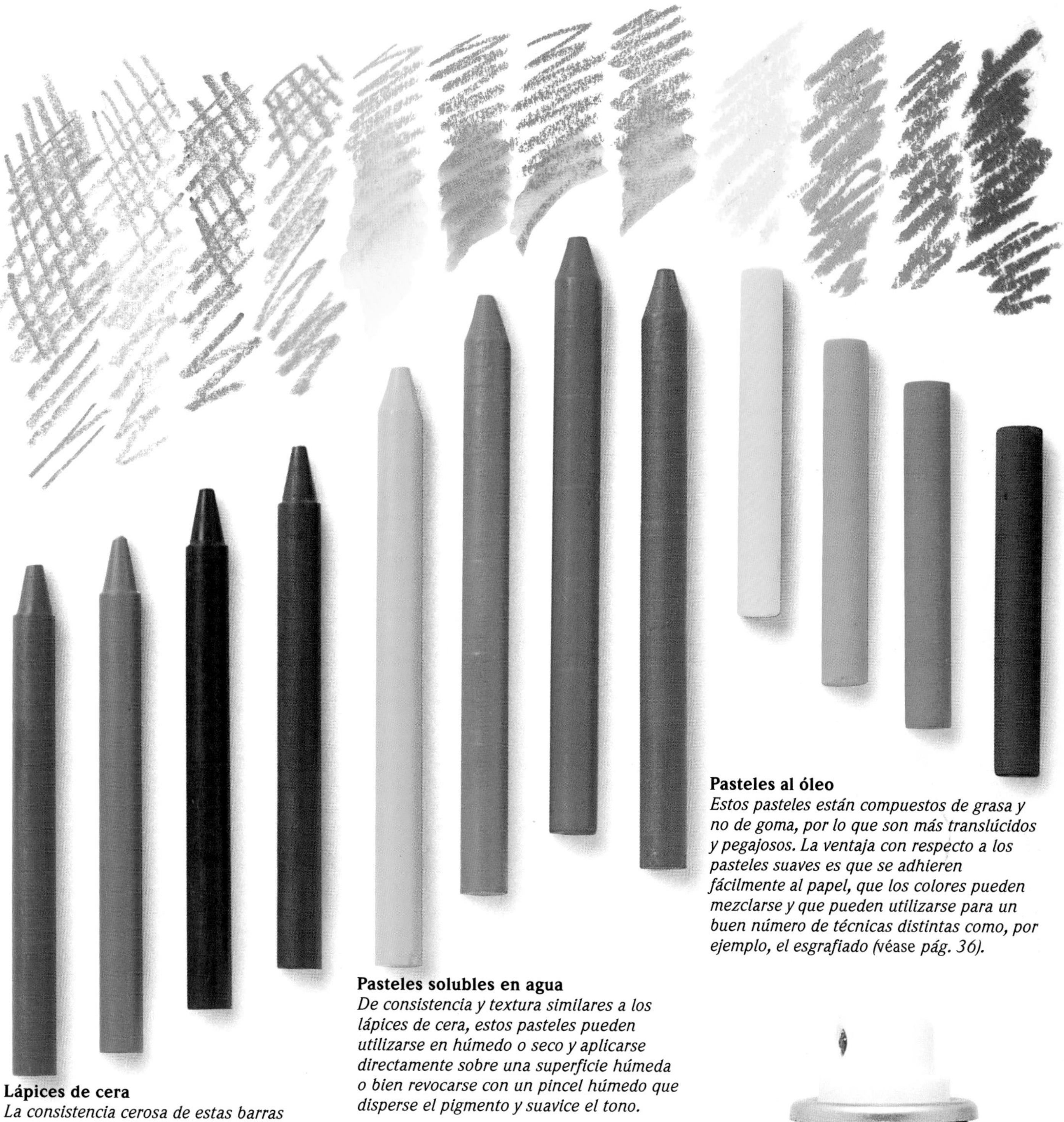

Pasteles al óleo
Estos pasteles están compuestos de grasa y no de goma, por lo que son más translúcidos y pegajosos. La ventaja con respecto a los pasteles suaves es que se adhieren fácilmente al papel, que los colores pueden mezclarse y que pueden utilizarse para un buen número de técnicas distintas como, por ejemplo, el esgrafiado (véase *pág. 36*).

Pasteles solubles en agua
De consistencia y textura similares a los lápices de cera, estos pasteles pueden utilizarse en húmedo o seco y aplicarse directamente sobre una superficie húmeda o bien revocarse con un pincel húmedo que disperse el pigmento y suavice el tono.

Lápices de cera
La consistencia cerosa de estas barras implica que son resistentes al agua. Como resultado, pueden combinarse con aguadas de acuarela para crear efectos de textura muy interesantes en un dibujo.

Fijador en aerosol
La facilidad con la que los pasteles se emborronan supone que se debe proteger un trabajo terminado con un fijador. Si utiliza un aerosol, coloque la obra sobre una superficie vertical para evitar que queden gotas que puedan manchar la superficie.

Difuminos
Los difuminos o herramientas de mezcla están fabricados de papel fuertemente enrollado y tienen el grosor de un lápiz. A medida que la punta se va ensuciando con pigmentos del pastel, se puede eliminar una capa de papel y obtener de nuevo una superficie limpia.

ACUARELA

UTILIZADA INICIALMENTE EN OCCIDENTE para «colorear» los dibujos a pluma y tinta y reforzar sus cualidades descriptivas, la acuarela es un medio de dibujo desde hace cientos de años. Se mezcla perfectamente con las herramientas tradicionales del dibujo como son el lápiz y la tinta; proporciona al dibujo lineal un ritmo expresivo y una marcada espontaneidad. Asegúrese de utilizar tinta permanente con las aguadas de acuarela o, de lo contrario, el agua disolverá las líneas de tinta. La acuarela también es útil porque puede mezclarse para formar una suave gradación de tonalidades que incrementan las cualidades tridimensionales de las formas de manera sutil. El empleo de un pincel de marta le permitirá sacar el máximo partido a los dibujos en acuarela, ya que tiene la capacidad de pasar instantáneamente de una pincelada ancha y fuerte a una línea fina y afilada.

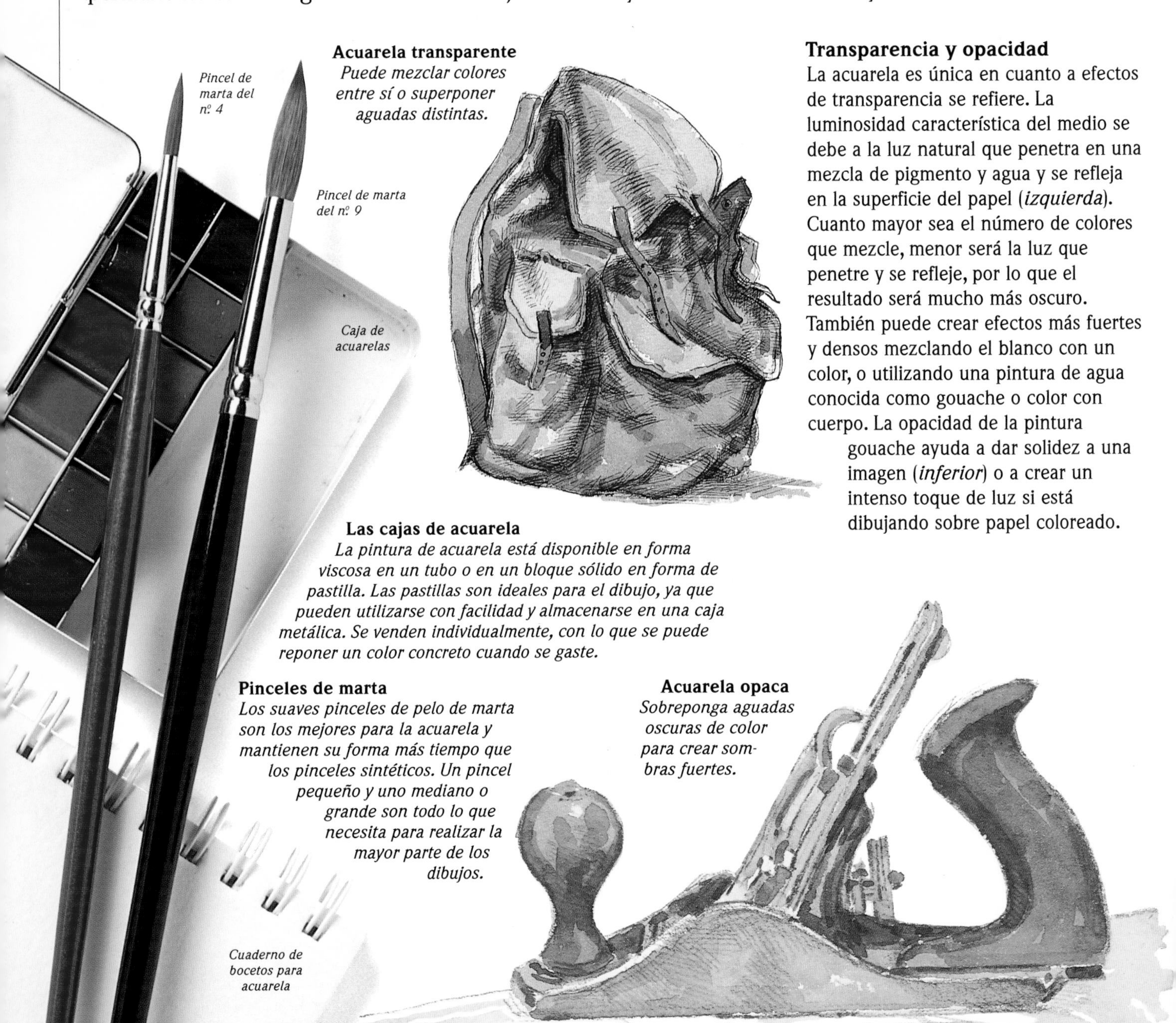

Acuarela transparente
Puede mezclar colores entre sí o superponer aguadas distintas.

Transparencia y opacidad
La acuarela es única en cuanto a efectos de transparencia se refiere. La luminosidad característica del medio se debe a la luz natural que penetra en una mezcla de pigmento y agua y se refleja en la superficie del papel (*izquierda*). Cuanto mayor sea el número de colores que mezcle, menor será la luz que penetre y se refleje, por lo que el resultado será mucho más oscuro. También puede crear efectos más fuertes y densos mezclando el blanco con un color, o utilizando una pintura de agua conocida como gouache o color con cuerpo. La opacidad de la pintura gouache ayuda a dar solidez a una imagen (*inferior*) o a crear un intenso toque de luz si está dibujando sobre papel coloreado.

Las cajas de acuarela
La pintura de acuarela está disponible en forma viscosa en un tubo o en un bloque sólido en forma de pastilla. Las pastillas son ideales para el dibujo, ya que pueden utilizarse con facilidad y almacenarse en una caja metálica. Se venden individualmente, con lo que se puede reponer un color concreto cuando se gaste.

Pinceles de marta
Los suaves pinceles de pelo de marta son los mejores para la acuarela y mantienen su forma más tiempo que los pinceles sintéticos. Un pincel pequeño y uno mediano o grande son todo lo que necesita para realizar la mayor parte de los dibujos.

Acuarela opaca
Sobreponga aguadas oscuras de color para crear sombras fuertes.

El trabajo en exteriores

El trabajo con acuarelas es casi sinónimo de trabajo en exteriores o del natural, ya que su fluidez y facilidad de manipulación le permiten captar instantáneamente los efectos de luz más fugaces en una escena. Si decide trabajar en el exterior, puede organizar un equipo sencillo con materiales básicos que ocupan poco espacio y son fáciles de manipular. Utilice un estuche protector para guardar elementos como lápices, plumillas y pinceles. Lleve una superficie dura como una tabla de dibujo de madera y pinzas para sujetar el papel mientras dibuja.

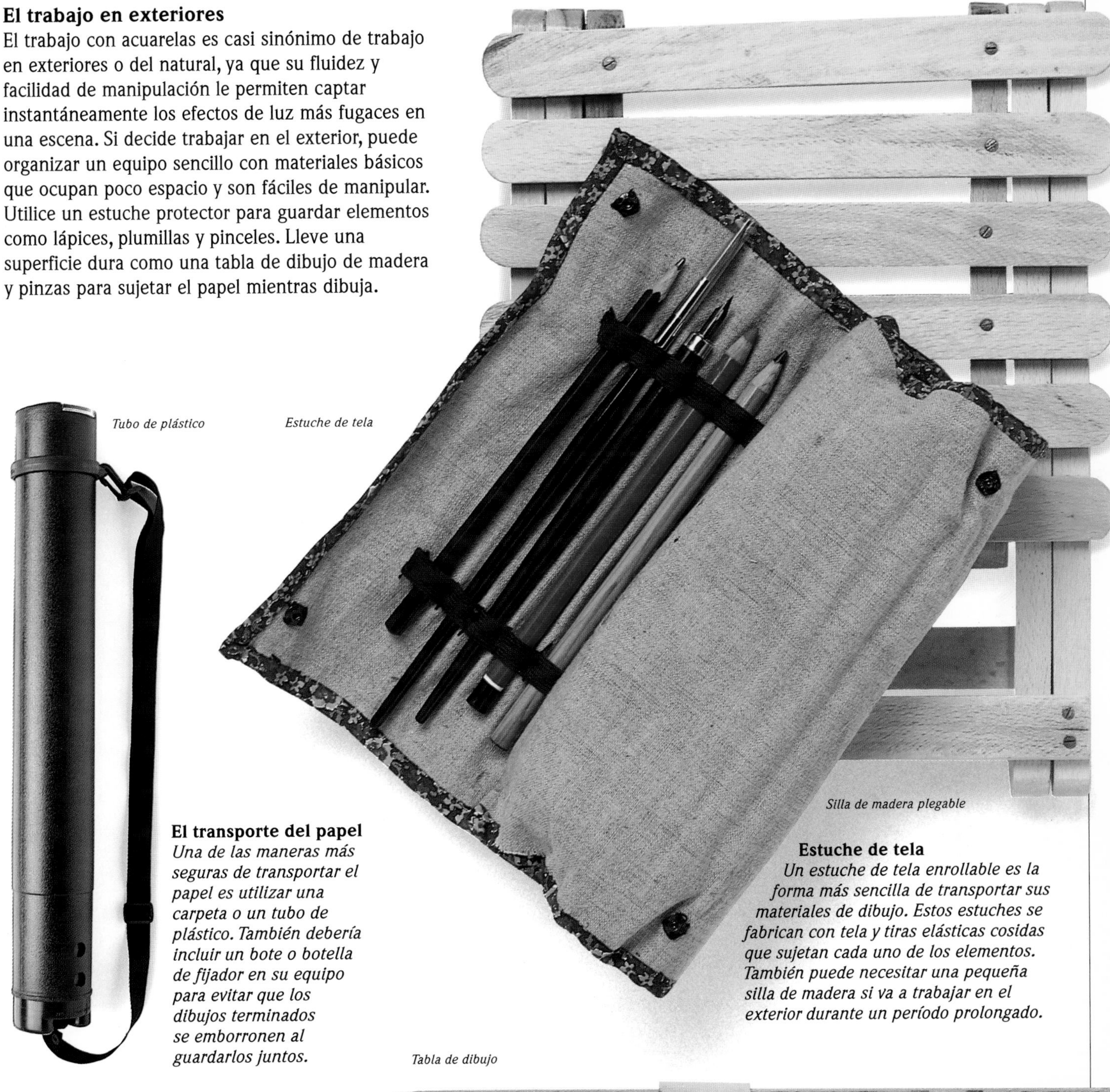

El transporte del papel

Una de las maneras más seguras de transportar el papel es utilizar una carpeta o un tubo de plástico. También debería incluir un bote o botella de fijador en su equipo para evitar que los dibujos terminados se emborronen al guardarlos juntos.

Estuche de tela

Un estuche de tela enrollable es la forma más sencilla de transportar sus materiales de dibujo. Estos estuches se fabrican con tela y tiras elásticas cosidas que sujetan cada uno de los elementos. También puede necesitar una pequeña silla de madera si va a trabajar en el exterior durante un período prolongado.

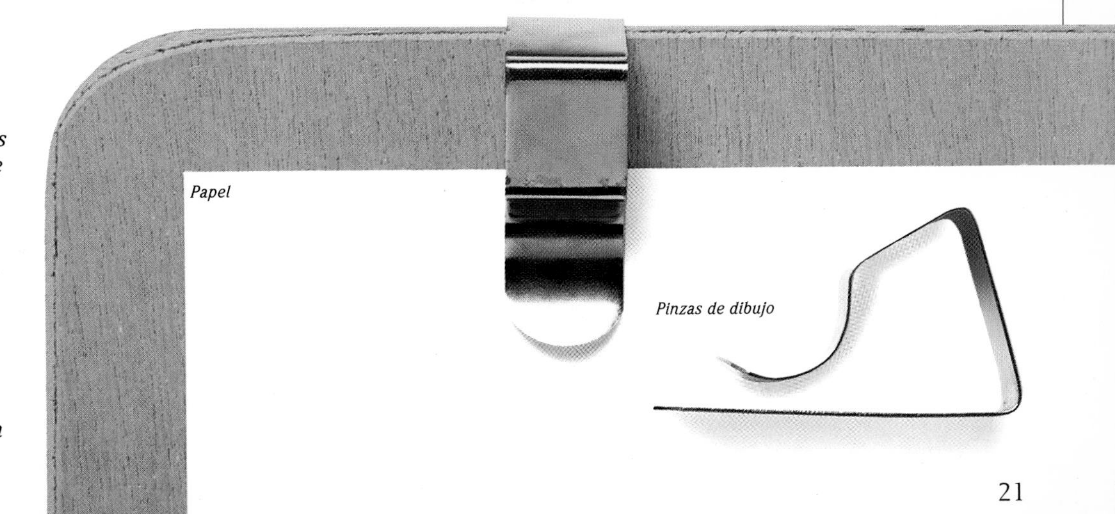

Tabla de dibujo

Aunque puede ser el elemento más aparatoso del equipo, una tabla de dibujo es uno de los artículos más importantes que debe incluir en su equipo y una alternativa más barata y conveniente que un caballete de madera o metal. Otra opción consiste en utilizar un bloque de papel de acuarela en el cual cada hoja esté ligeramente adherida a la siguiente para proporcionar una superficie sólida y lisa sobre la que dibujar.

GALERÍA DE MEDIOS DE DIBUJO

A MENUDO EL TEMA o asunto a dibujar determina el medio que se utiliza. Una habitación de arquitectura detallada puede dibujarse con mayor precisión con una pluma de dibujo técnico o con un plumín fino, y el carboncillo es el medio ideal para captar sutilmente el carácter de una persona. Para un dibujo elegante y rítmico de una figura en movimiento, el pincel y la tinta ofrecen una extensa gama de líneas de expresión. En ocasiones, la mezcla de medios supondrá una faceta totalmente nueva en su trabajo, pero el éxito de una mezcla de medios depende de que se le sepa sacar buen partido. Un dibujo a lápiz puede convertirse en un dibujo más completo recurriendo a acuarelas, lápices de colores o tizas para construir una textura en una serie de líneas cruzadas. Pueden lograrse efectos sorprendentes al utilizar papeles muy texturados con pasteles o lápices de cera en colores muy vivos.

Karen Raney, *Ventana de una habitación de Les Planes,* *86 × 61 cm*
El modo en que estos pasteles al óleo se han aplicado en capas da como resultado una gran brillantez de color y un fuerte patrón tonal que da vida a la obra.

La técnica del esgrafiado se ha empleado para raspar una parte del color y producir así brillantes toques de luz.

Los pasteles al óleo enfatizan la fibra de la superficie de este papel texturado de tal manera que las pequeñas áreas de papel blanco hacen que los colores reflejen la luz.

Paul Cézanne, *El castillo de Médan,* 1879/1880, *31 × 47 cm*
Aunque la mayoría de las acuarelas de Cézanne son bastante pequeñas, están llenas de fuerza y muy estructuradas. En este estudio, los trazos a lápiz se han completado con acuarela para obtener una imagen intensa que da sensación de luminosidad y de amplitud espacial.

John Ward, *Siena,* *33 × 56 cm*
En este dibujo, el artista ha captado la deslumbrante luz clara que brilla sobre un bullicioso mercado con una astuta combinación de acuarela y lápiz. Las ricas e intensas aguadas de acuarela se han incluido en las áreas sombreadas para reforzar el contraste con el papel blanco puro, mientras que los limpios trazos a lápiz delinean con precisión la estructura de los ornamentados edificios italianos.

Jane Stanton, *Sombra de Horacio boxeando,*
28 × 23 cm
Este vigoroso dibujo con tizas blancas y negras se ha construido a partir de una serie de trazos rítmicos. Resulta interesante comprobar cómo el blanco del papel no se ha tocado para representar las manos vendadas, mientras que los reflejos en el brazo y el hombro se han dibujado con tiza blanca. De esta manera se da a la figura una sensación de solidez y se refuerzan los contrastes tonales.

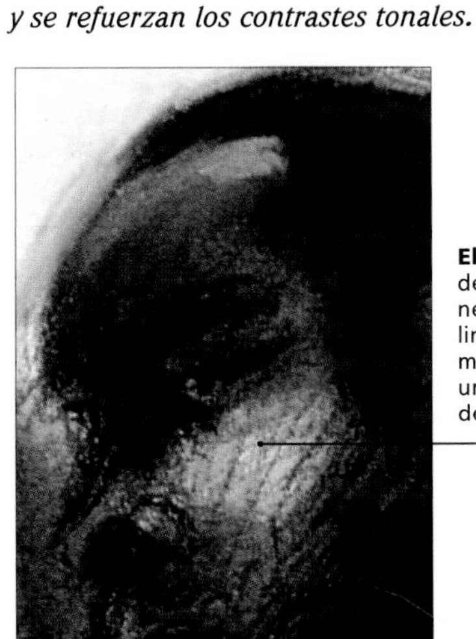

El contraste del intenso sombreado negro y los trazos lineales dibujados con mucha suavidad crean una fuerte sensación de movimiento.

PAPEL

ORIGINARIAMENTE TODOS LOS PAPELES se fabricaban a mano y tendían a ser de gran calidad. El papel era bastante escaso, así que los artistas dibujaban a menudo sobre ambas caras por motivos de ahorro. El papel coloreado o tintado, preparado por el mismo artista a base de aguadas de acuarela, era una forma popular de crear efectos poco usuales. Hoy en día disponemos de una enorme gama de papeles entre los cuales escoger, y eso incluso nos dificulta la elección. Tanto los papeles fabricados a mano como los más comerciales tienen distintos grados de absorbencia y se venden en distintos gramajes. Los papeles tintados o coloreados merecen ser tenidos en cuenta, y se encuentran disponibles en una amplia selección de colores. Experimente con las texturas y los gramajes hasta que encuentre un papel adecuado a sus técnicas.

Papel coloreado
El papel tintado o coloreado puede añadir un nuevo matiz a una obra, ya que proporciona un tono uniforme subyacente que, a la vez, influye sobre el ambiente del dibujo. Algunos papeles especiales para artistas, como el papel Ingres, son ideales para este tipo de dibujo.

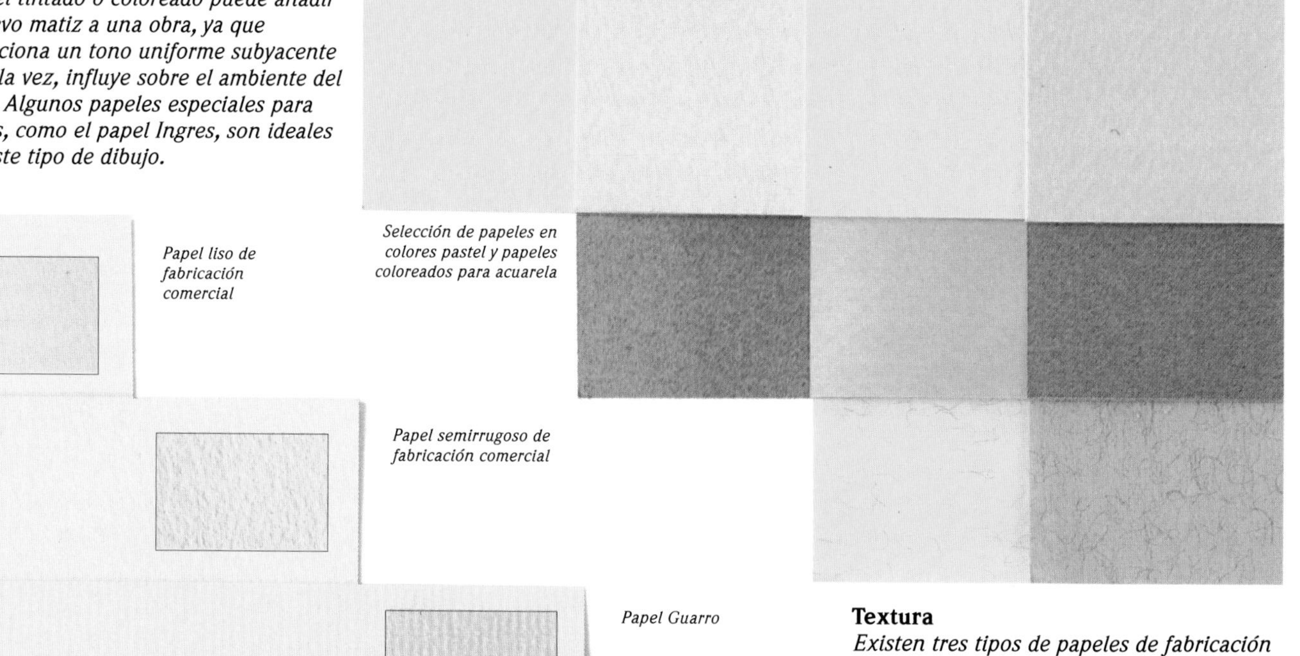

Selección de papeles en colores pastel y papeles coloreados para acuarela

Papel liso de fabricación comercial

Papel semirrugoso de fabricación comercial

Papel Guarro

Papel semirrugoso fabricado a mano

Textura
Existen tres tipos de papeles de fabricación comercial: liso o prensado en caliente, semirrugoso o prensado en frío, y rugoso. Elija una textura que se adapte al medio que utilice; las pinceladas de acuarela enfatizan la fibra del papel con textura muy rugosa hecho a mano, mientras que el trabajo a pluma y tinta requiere una superficie más suave para asegurar que la tinta fluya con suavidad. Intente comprar papel libre de ácido para que no se oscurezca con el tiempo.

Papel texturado de fabricación comercial

Papel con textura muy rugosa fabricado a mano

Elaboración de un cuaderno de bocetos

Los cuadernos de bocetos pueden ser bastante caros y contener un tipo de papel no adecuado para sus necesidades. Al fabricar sus propios cuadernos de bocetos podrá escoger el tamaño, peso y absorbencia del papel que mejor se adapte a su estilo y medio de trabajo. Utilice muestras de papel pintado o de envolver para cubrir el exterior del cuaderno.

1 ◀ Corte dos trozos idénticos de cartón para las cubiertas anterior y posterior, y una tira larga para el lomo. Después corte y doble el papel de dibujo y compruebe que cabe entre las cubiertas antes de encuadernar.

2 ◀ Mida primero el ancho de la cinta y, después, coloque una regla a lo largo de los bordes doblados del papel y divida su longitud por cinco. Marque el grosor de la cinta en cada sección con un lápiz.

3 ▶ Una las páginas con aguja e hilo, dejando pequeñas lazadas a lo largo del borde de los dobleces.

4 ▶ Pase pequeños trozos de cinta a través de cada lazada y después estire y sujete el hilo. Puede utilizar cualquier tipo de cinta de tela, siempre y cuando sea resistente y se adhiera con seguridad a las cubiertas de cartón.

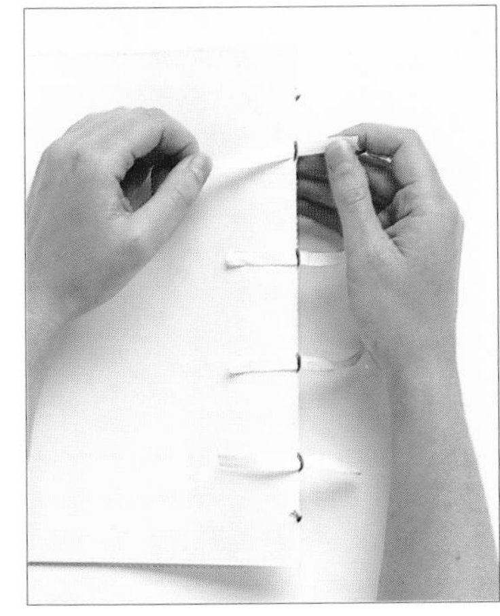

5 ▲ Encole los trozos de cartón sobre una pieza grande de tela resistente, dejando un ligero espacio a cada lado de la tira central para crear una junta.

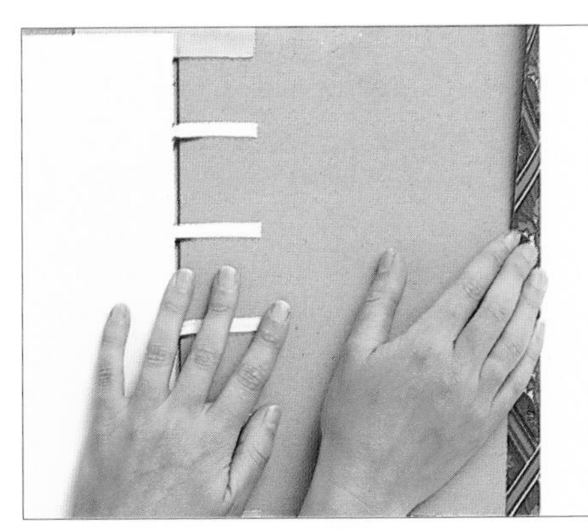

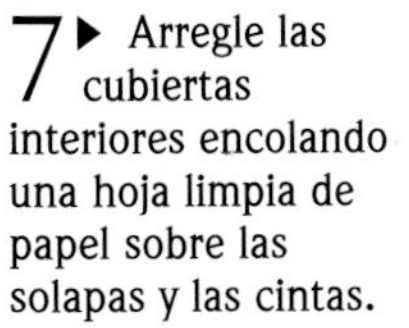

6 ▲ Sujete los trozos de cinta a cada una de las cubiertas y encole las solapas del papel pintado.

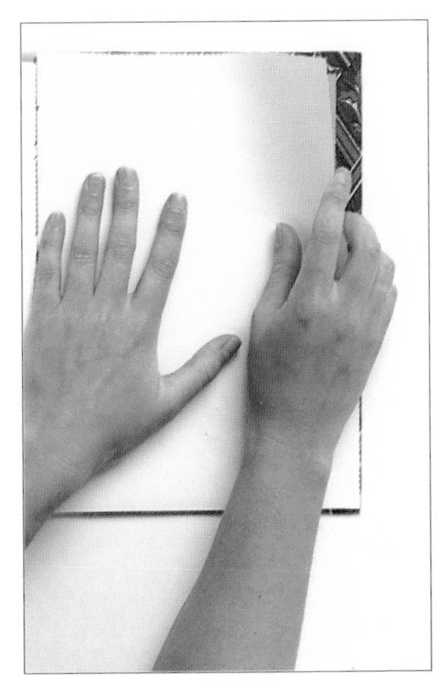

7 ▶ Arregle las cubiertas interiores encolando una hoja limpia de papel sobre las solapas y las cintas.

Cuadernos de bocetos especializados

Elabore cuadernos en diferentes tamaños y con papeles texturados o coloreados.

Materiales

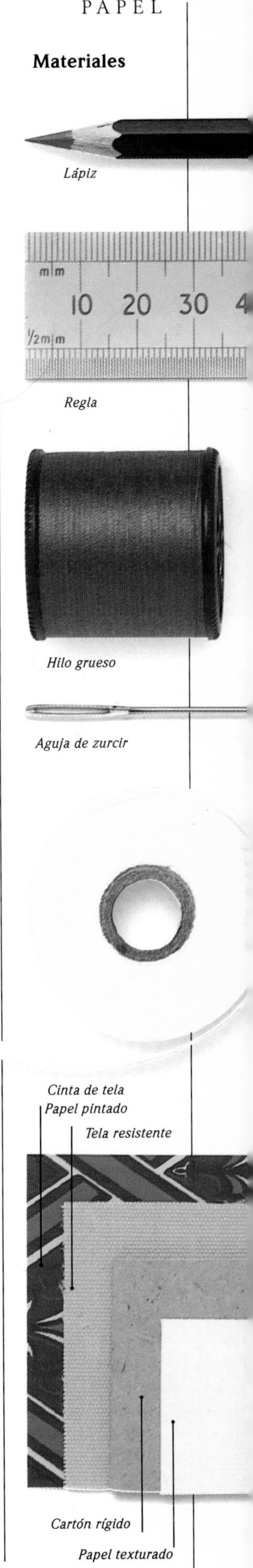

Lápiz

Regla

Hilo grueso

Aguja de zurcir

Cinta de tela

Papel pintado

Tela resistente

Cartón rígido

Papel texturado

GALERÍA DE PAPEL

LA TEXTURA DEL PAPEL puede afectar con facilidad el aspecto de un dibujo, y vale la pena considerar el tipo de papel a utilizar para cada medio particular. El empleo de un papel liso para los trabajos con tinta evita que la punta del plumín rasque la superficie, mientras que el papel texturado rompe la uniformidad de los trazos y las líneas y es adecuado para medios como la tiza y el pastel. La absorción y gramaje del papel son factores importantes a considerar antes de utilizarlos con la acuarela, ya que determinan la mejor forma de manipular la pintura y el tiempo durante el cual puede trabajarse sobre un dibujo. El papel coloreado también puede afectar el aspecto y talante de un dibujo; sirve tanto para reforzar algún reflejo opaco como para activar un tono medio.

Rembrandt, *Muchacha durmiendo,* h. 1655-1656, *25 × 20 cm*
Los dibujos a pincel de Rembrandt están hechos con espontaneidad y una seguridad de trazo de una calidad casi increíble. Este dibujo de una aguada marrón demuestra lo bien que el artista empleaba sus materiales; produce un dibujo sensual con una línea muy simple que cobra vida gracias al papel texturado. La gran absorbencia del papel obligaba a Rembrandt a trabajar rápidamente y con gran confianza a medida que la acuarela era absorbida por la superficie; la textura rugosa del papel queda enfatizada por la calidad rugosa de cada línea, ya que la pintura se adhiere únicamente sobre la fibra de la superficie del papel.

La calidad de fuerza que la imprimación *gesso* (escayola artística) da a este papel ha permitido al artista volver a trabajar sobre ciertos detalles y levantar el color de algunas áreas para aumentar la textura rugosa del dibujo.

Karen Raney, *La señora Robb,* *36 × 28 cm*
Este dibujo se basa en un enfoque técnico particular; primero se imprimió el papel con gesso *acrílico (escayola artística) para lograr una textura controlada y significativa. La resistencia de esta superficie permitió a la artista la exploración del sujeto con un estilo vigoroso, además de volver a trabajar la figura cuando lo consideró necesario con pasteles al óleo en una serie de líneas y tramas que se ven acentuados por la textura del papel.*

Kay Gallwey, *Bailarina española,* *51 × 76 cm*
Este trabajo es un excelente ejemplo de cómo la calidad y el color del papel influyen sobre un dibujo; el tono gris pálido de esta superficie refuerza las áreas opacas de gouache blanco al tiempo que permite que aparezcan las pinceladas más transparentes de acuarela. Aunque es tan absorbente como el papel empleado por Rembrandt, la consistencia más suave de este papel permite que el artista dibuje líricamente, con pinceladas largas y más generosas. Los reflejos en la mejilla y el cabello también parecen más efectivos contrapuestos al sutil color gris del papel.

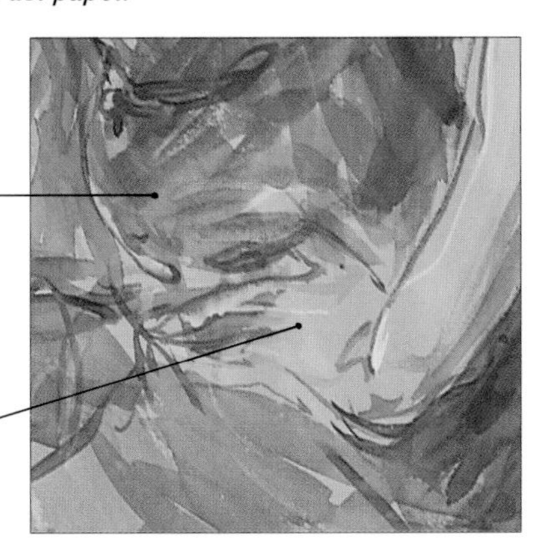

La suave calidad absorbente del papel realza las elegantes pinceladas de acuarela.

Aquí el artista ha utilizado el papel coloreado como tono medio en la mano al sobreponer tonos de acuarela alrededor de un área de papel sin pintar.

Percy Horton, *Estudio de un patio de granja,* 1935, *30 × 46 cm*
Dibujado en fino papel Ingres, este estudio en lápiz de grafito y aguada gris muestra con facilidad la suavidad del papel. El artista se ha aprovechado del trabajo sobre una textura tan suave para construir su dibujo con un estilo intrincado, incorporando una mayor cantidad de detalles e información precisa para obtener una composición de gran fuerza e interés.

FORMAS DE TRABAJAR

EL DIBUJO ES UNA HABILIDAD que mejora con la práctica, y cuanto mayor sea el conocimiento que tenga de sus materiales, mejores serán sus dibujos. Por ejemplo, su elección de lápiz, pluma y tinta o lápices Conté afectará al aspecto final de su dibujo, y puede ser que uno de los medios se ajuste mejor a su propósito que otro. Será necesario que trabaje con los diferentes materiales para familiarizarse con ellos, para descubrir lo que cada uno es capaz de hacer y para saber con cuál de ellos trabaja con mayor confianza. La pluma y la tinta son ideales para trazar líneas finas y delicadas, mientras que con un pincel y tinta puede trazar desde líneas finas hasta pinceladas anchas. Una vez conozca la fuerza y limitación de sus materiales podrá escoger lo más adecuado a su tema y al talante que desea reflejar. Únicamente entonces será capaz de comenzar un trabajo con la idea clara de cómo se relaciona el tema con el medio.

Materiales que se adapten a su estilo
Por supuesto, cada individuo ve la vida de una manera diferente, y dos artistas ante un mismo tema elegirían probablemente medios diferentes de acuerdo con sus respectivas formas de percibir o de cómo desean retratarlo. Rembrandt, por ejemplo, empleó un pincel cargado de tinta para hacer anotaciones rápidas de efectos e imágenes fugaces. Puede decidir hacer lo mismo, o bien crear pinceladas sueltas, con aguadas de acuarela. Al igual que la tinta, éstas producirán un efecto rápido que después puede retocar con lápiz o pluma. Puede tener un enfoque más metódico y analítico, y preferir el control que supone el trabajo a lápiz. Muchos artistas gustan de definir sus dibujos con gran precisión, y para ello el lápiz, la regla y la goma son las herramientas perfectas.

La elección del papel adecuado
No subestime la importancia del papel. Si trabaja sobre papel de dibujo liso (de mala calidad), su lápiz se moverá de forma ininterrumpida sobre la superficie. Trazará las líneas sin ningún efecto inesperado. Sin embargo, una desventaja del papel liso es que las grandes superficies de un mismo tono pueden parecer monótonas. Un papel texturado es justamente lo opuesto: utilizado con carboncillo o tizas da un aire vivo y roto a las líneas

o superficies de un mismo tono. Recuerde tomar nota del peso del papel en caso de usar acuarelas, por ejemplo, para que sea lo suficientemente grueso y no se ondule.

Dibujo con acuarela

El punto en el que un dibujo deja de serlo y se convierte en una pintura es un asunto a la vez filosófico y práctico. Puede «dibujar» con color utilizando lápices de colores, pasteles o tizas, o puede añadir color a lo que son esencialmente dibujos lineales. Puede mezclar y combinar —comience con un lápiz y añada una aguada de acuarela, o comience con acuarelas y posteriormente refuerce algunos detalles con pluma y tinta. Al combinar medios de esta forma puede crear un dibujo mucho más consistente con efectos espectaculares.

Procedimientos

De la misma forma que hay posibilidades infinitas al mezclar medios, también existen procedimientos muy diferenciados. No imperan reglas estrictas sobre lo que puede o no utilizar, y tampoco un orden establecido en el cual debe trabajar con sus materiales. Por ejemplo, podría comenzar un dibujo con lápiz y quizá añadir después alguna acuarela. Finalmente, podría dar los últimos toques al dibujo con pluma y tinta y trazar alguna trama cruzada sobre ciertas áreas con tizas o pasteles para crear texturas diferentes.

La mezcla de medios

Trabajar de esta manera implica introducir un medio nuevo a cada intervalo para reforzar el anterior o crear un efecto nuevo e interesante. Por otra parte, puede tomar la decisión previa de combinar una selección de materiales y utilizarlos conjuntamente. Esta cuestión depende del efecto que quiera lograr y de la manera en que desee conseguirlo. Al igual que ocurrirá con sus habilidades para el dibujo, aprender a sacar el mejor partido a sus materiales es cuestión de tiempo, práctica y disfrute.

CÓMO EMPEZAR

APRENDER A DIBUJAR CONSISTE, en última instancia, en ser capaz de ver e interpretar el mundo que le rodea; resulta vital que observe las imágenes correctamente si quiere ser capaz de dibujar con convicción. Entrene su vista para buscar factores específicos conforme analiza los objetos de una escena. Debe ser capaz de captar el máximo de información y trasladarla a un dibujo con un estilo propio característico y desde un punto de vista personal. La mejor manera de comenzar a practicar este proceso es llevarse un cuaderno de apuntes a todas partes e ir plasmando ideas y creando bocetos para futuros dibujos. Utilice materiales de dibujo con los que esté familiarizado para que pueda concentrarse en la forma de percibir una imagen y comience a afianzar su habilidad con el dibujo.

Elija un cuaderno de bocetos con un tamaño conveniente para llevar consigo.

Buscar profundidad
Cualquier escena consiste en un primer plano, un plano medio y un fondo (en este caso están separados por los contornos negros, izquierda). Las figuras en el primer plano son grandes y claramente visibles, los objetos en el plano medio parecen más pequeños y menos llamativos, mientras que las imágenes en la distancia son borrosas y poco definidas. Al dibujar sobre una superficie bidimensional, estas tres divisiones crean la ilusión necesaria de profundidad. Otra forma de detectar estas divisiones es buscando distintas intensidades de color: en el primer plano aparecen tonalidades intensas, mientras que el fondo está lleno de tonalidades pálidas y azuladas. Esta condición atmosférica se conoce como «perspectiva aérea».

Los efectos cambiantes de la luz
El efecto de la luz sobre un objeto o una escena es crucial, ya que puede sumir un área entera en la oscuridad, o iluminar algún aspecto de forma que parezca irradiar luz o brillar. Vale la pena observar cómo se mueve el sol sobre un objeto a lo largo de un día y notar cómo altera radicalmente su aspecto. Una variedad de colores cálidos y fríos, así como sombras y formas alargadas, transforman el aspecto de esta construcción (derecha) de acuerdo con la hora particular del día. Este ejercicio debería ayudarle a determinar cuál es el mejor momento para dibujar una escena o para crear un ambiente determinado.

Amanecer

Media mañana

Punto de mira elevado
El punto de mira que elija afectará significativamente al aspecto del dibujo. Un punto de mira elevado le permite dominar una escena, lo cual da a menudo sensación de espacio y armonía.

Perspectiva lineal
La perspectiva lineal se basa en la forma en que percibimos un objeto o una escena desde un punto de mira particular. El edificio superior retrocede en el espacio y parece hacerse menor, aunque en realidad sus laterales son paralelos. Si se dibujan líneas a lo largo de estos laterales, convergerán en un punto distante: el «punto de fuga». Una línea horizontal que pasa por el punto de fuga indica la altura desde la que se ve el objeto. Esta teoría le permite representar una imagen tridimensional sobre una superficie plana.

Punto de mira normal
Un punto de mira normal —el nivel del ojo de un individuo de pie— crea una sensación familiar de perspectiva humana. Las figuras distantes pueden quedar oscurecidas por algún área del primer plano.

Punto de mira bajo
Si dibuja desde un punto de mira bajo, los objetos a su alrededor parecerán más pronunciados e imponentes, por lo que tendrán un fuerte impacto psicológico.

Utilizar un cuaderno de bocetos
Este boceto de una acuarela de Florencia, Italia, incluye un punto de mira elevado con perspectiva lineal y aérea, y describe los efectos cambiantes de la luz sobre la ciudad.

Mediodía

Tarde

Anochecer

LOS PRINCIPIOS BÁSICOS DEL DIBUJO

GRAN PARTE DE LO QUE VEMOS a nuestro alrededor puede plasmarse esquemáticamente sobre el papel en una serie de formas básicas. Las formas más obvias son los cubos y las esferas, y resulta útil visualizar los objetos en términos geométricos cuando se comienza a dibujar. Las formas regulares semejantes a cajas con lados paralelos son relativamente fáciles para empezar a dibujar y para entender el funcionamiento de la perspectiva lineal y de las líneas convergentes que dan sensación de profundidad y estructura. Los objetos redondeados son más complejos, ya que deben construirse a partir de una serie de elipses que inicialmente pueden ser difíciles de dibujar correctamente. Sin embargo, la mejor manera de dominar el dibujo de objetos sólidos es tomar una serie de útiles domésticos y practicar con ellos.

Dibujar cubos
Esta cómoda está compuesta de lados rectos y paralelos que parecen hacerse más estrechos al retroceder en el espacio. El trazo de unas líneas convergentes dibujadas como guía pueden ayudarle a lograr la perspectiva correcta.

Copie las elipses en la parte superior e inferior de los objetos transparentes.

Dibujar elipses
Vale la pena invertir algún tiempo en adquirir soltura dibujando elipses para poder plasmar todo tipo de objetos redondos. Las elipses son, en realidad, círculos escorzados, y cambian su naturaleza en función de la altura a la que estén de los ojos (*inferior*). El principio del escorzado es que el ancho de una elipse permanece igual, pero su altura aparente se reduce conforme se inclina, alejándose del espectador. La forma más sencilla de dibujar una elipse es trazando un esbozo aproximado y dividiéndolo en dos, primero vertical y después horizontalmente. Entonces puede rehacerla hasta que cada parte sea una imagen especular de la que tiene al lado. Asegúrese de que todas las esquinas queden bien redondeadas y que la sección central no se vea demasiado plana. Practique dibujando una botella vacía o un vaso para que pueda ver realmente la elipse escorzada a través del material transparente.

Elipses cambiantes
Mire una copa desde arriba, a la altura normal de los ojos o desde abajo, y podrá apreciar cómo cambia la naturaleza de sus elipses. Si se inclina sobre el vaso y lo mira desde un ángulo, las elipses serán bastante redondeadas y circulares; vistas lateralmente, están en un extremo y muy escorzadas. Las elipses en el borde y la base de un objeto no son nunca idénticas: cuanto más cerca esté la elipse del nivel de sus ojos, más alargada será; cuanto más alejada, más circular se verá. Mire la copa desde abajo para apreciar este efecto.

Intersección de elipses

Para recrear la redondez de un objeto debe imaginarse dos elipses, una horizontal y una vertical. La tetera, por ejemplo, está construida a partir de un círculo achatado que es la forma base del objeto intersectado en ángulos rectos por una segunda elipse. El problema al dibujar un objeto como esta tetera es su naturaleza opaca, por lo que debe imaginarse la progresión de la segunda elipse a través de la parte posterior del objeto y juzgar lo escorzada que está en la realidad. Esta habilidad se irá desarrollando con la práctica. Compruebe el nivel de sus ojos y, si es necesario, dibuje una ligera línea de guía que cruce el dibujo para indicar el ángulo desde el cual dibuja y crear así las formas correctas.

Elipses múltiples

Un objeto complicado como esta coctelera, cuyos lados se curvan hacia dentro y hacia fuera, debería dibujarse a partir de varias elipses escorzadas con diferentes ángulos y en tamaños distintos.

Elipses ocultas

Cada elipse ha sido trazada en su totalidad en este boceto de dos objetos opacos —a pesar de que, en realidad, la parte posterior del plato esté oculta por el tazón. Una vez que el objeto ha sido dibujado con exactitud, esta línea puede borrarse.

Guías

Utilice líneas finas de guía para establecer el centro del dibujo y el ángulo en el cual debería alinearse cualquier figura adicional.

Bodegón

Reúna una serie de objetos interesantes cuando se sienta lo suficientemente seguro para dibujar grupos. Si dibuja elipses imaginarias a través de objetos opacos, bórrelas al terminar el dibujo y así cada objeto tendrá mayor solidez.

Concéntrese en dibujar las elipses correctamente en lugar de preocuparse demasiado de detalles o adornos.

Practique dibujando series de objetos para aprender a dibujar elipses de diferente anchura y profundidad.

DIBUJO LINEAL

UNA LÍNEA ES LA FORMA más básica de representación en un dibujo y, no obstante, la fuerza y versatilidad que pueden lograrse con una línea dibujada significa que posee una amplia gama de posibilidades descriptivas. El dibujo lineal es esencialmente una técnica que utiliza la línea como vehículo principal de expresión en lugar de la profundidad del color. Las líneas pueden trazarse con gran espontaneidad y ser elocuentes, sintéticas e incluso decorativas. Las sombras y los reflejos también pueden sugerirse con líneas gruesas o más finas. Un buen dibujo lineal comunicará explícitamente al espectador lo que el artista quiere expresar o describir.

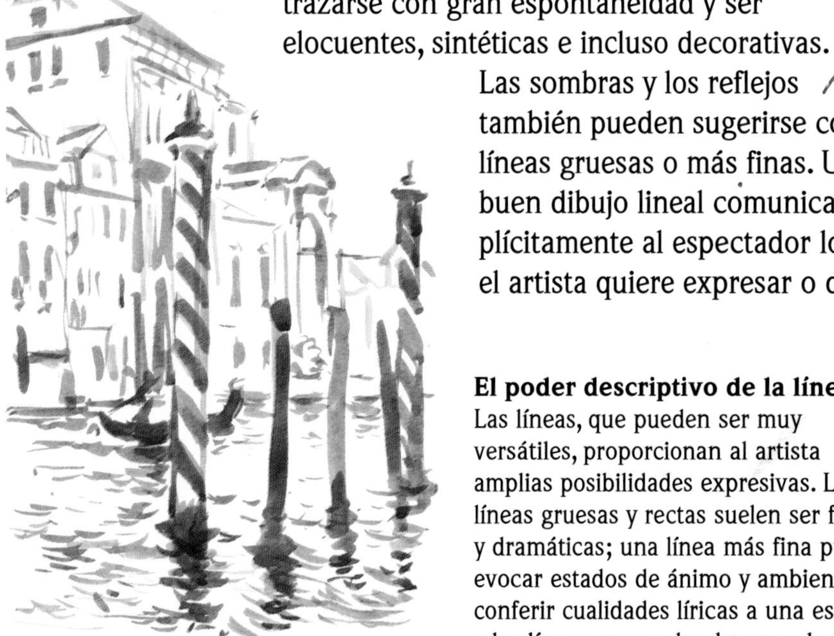

Dibujo a pincel
Esta escena de un canal se ha creado a partir de simples pinceladas con gran destreza. Note la variación de fuerza y tono entre las pinceladas marcadas de los palos y los sutiles rizos del agua.

El poder descriptivo de la línea
Las líneas, que pueden ser muy versátiles, proporcionan al artista amplias posibilidades expresivas. Las líneas gruesas y rectas suelen ser fuertes y dramáticas; una línea más fina puede evocar estados de ánimo y ambientes o conferir cualidades líricas a una escena, y las líneas curvas dan lugar a elegantes contornos. Una vez haya decidido lo que quiere dibujar, elija los materiales más adecuados para dar mayor sensación de solidez y peso o añadir detalles y delicados toques finales con líneas apenas visibles. Experimente con medios diferentes hasta encontrar el que mejor se adapte a su estilo.

Estudio en carboncillo
Las suaves líneas de este dibujo a carboncillo captan convenientemente la expresión y complacencia de esta niña. Las líneas en el cabello y el vestido se han aplicado de forma sintética para sugerir textura, mientras que en otras áreas se han trazado líneas gruesas para dar sensación de profundidad.

Boceto con pluma de dibujo técnico
Puede crear líneas nítidas y bien definidas con una pluma de dibujo técnico. En esta ocasión se ha hecho un boceto rápido de las figuras para captar la espontaneidad de la escena. Hay una cierta tosquedad en las líneas que evoca la sensación de inmediatez.

Dibujo con pluma y tinta

La tinta y pluma constituyen un medio de dibujo muy popular. La tinta se adquiere en una amplia gama de colores, y se dispone de una gran variedad de grosores para los plumines de acero. Utilice papel de dibujo liso para que la fibra del papel no frene al plumín.

1 ▶ Si no está seguro de poder dibujar directamente con pluma y tinta, comience con un ligero boceto a lápiz. Esto le permitirá asegurarse de que las proporciones son correctas y de que la composición es la adecuada. También servirá como entrenamiento para su sentido de la observación.

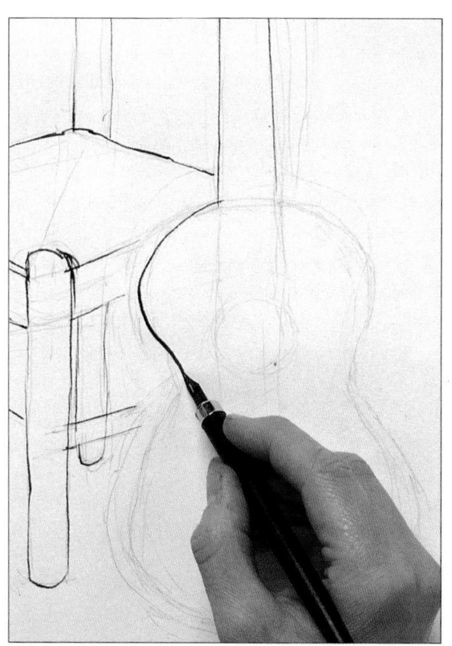

2 ▲ Defina la forma de la silla con líneas rectas y limpias, y para contrastar dibuje los contornos de la guitarra con líneas suavemente curvadas. Quizá tenga que ejercer mayor presión sobre el plumín al dibujar líneas curvas, puesto que así permite que la tinta fluya fácilmente.

3 ▲ Cuando haya dibujado los contornos de ambos objetos, añada los detalles finos, como el asiento de la silla y las cuerdas de la guitarra. Sugiera la textura del tejido de junco con líneas claras y oscuras.

Guitarra y silla

Esta sencilla composición implica una interesante interacción de líneas rectas y curvas. La forma rígida de la silla, trazada por medio de líneas verticales y horizontales, sirve para acentuar los contornos curvos de la guitarra. El resultado final es un agradable equilibrio de formas y líneas puras.

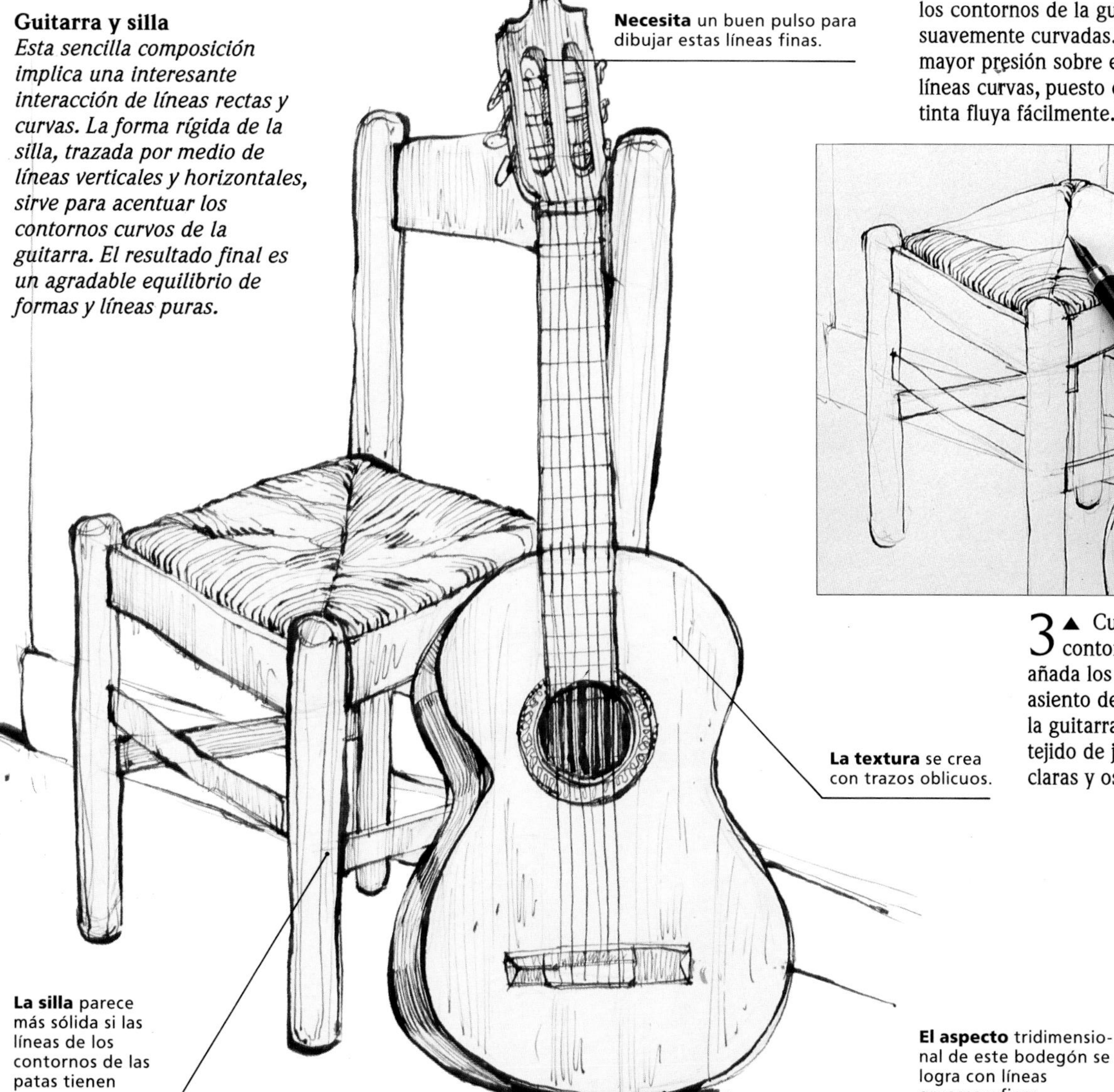

Necesita un buen pulso para dibujar estas líneas finas.

La textura se crea con trazos oblicuos.

La silla parece más sólida si las líneas de los contornos de las patas tienen mayor grosor.

El aspecto tridimensional de este bodegón se logra con líneas gruesas y finas.

Karen Raney

Materiales

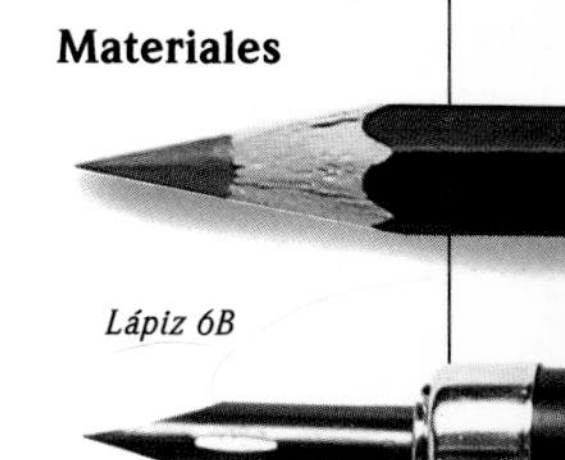

Lápiz 6B

Pluma de inmersión

VOLUMEN Y MODELADO

EL VOLUMEN ES UN TÉRMINO empleado para describir la figura y el aspecto visual de un objeto. En un dibujo, puede representarse con líneas o con una serie de tonos (una gama de valores que vayan del claro al oscuro), técnica conocida como «modelado». El modelado reproduce la calidad tridimensional de una figura, a menudo realzada o acentuada por la luz que incide sobre la misma y creando sombras. Existen varias técnicas diferentes para el modelado en función del tipo de medio que elija. Cada medio proporciona un conjunto característico de trazos, pero los materiales que cubren el papel fácilmente, como los pasteles y las acuarelas, están especialmente indicados para las grandes zonas sombreadas, mientras que los lápices de colores, que no pueden mezclarse, son ideales para las tramas cruzadas.

Sombreado sólido
Este boceto de la espalda de una mujer ha sido modelado para sugerir tridimensionalidad, para lo cual se han sombreado ligeramente algunas áreas con un lápiz. Las líneas más densas del contorno también refuerzan el volumen de la figura. Este tipo de sombreado puede ser sensible y sutil.

Descripción del volumen

Aunque una línea pura puede sugerir el aspecto y la solidez de un tema, el modelado ofrece una representación más detallada. Busque las diferentes texturas y cualquier tono oscuro antes de comenzar a dibujar, a fin de elegir los materiales y técnicas que mejor reflejen, por ejemplo, las suaves curvas de la espalda de una mujer, o de un trozo de tela arrugado.

Sombreado sólido

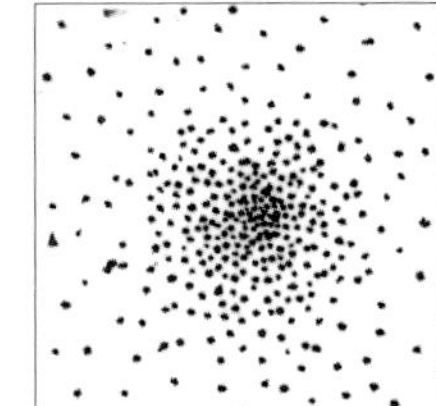

Punteado

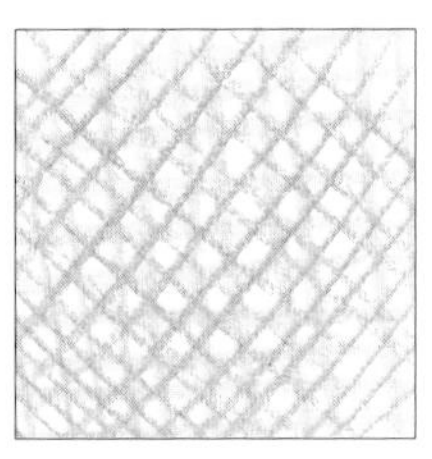

Tramado

Tramado

Distintos tipos de trazos

Hay varias formas de sombrear una imagen para crear una sensación de solidez. El tramado, el tramado cruzado y el plumeado son variaciones de una serie de líneas paralelas muy cercanas entre sí. El punteado es una técnica en la cual los puntos, y no las líneas, forman una imagen. El esgrafiado, que significa raspado, puede ser similar al tramado.

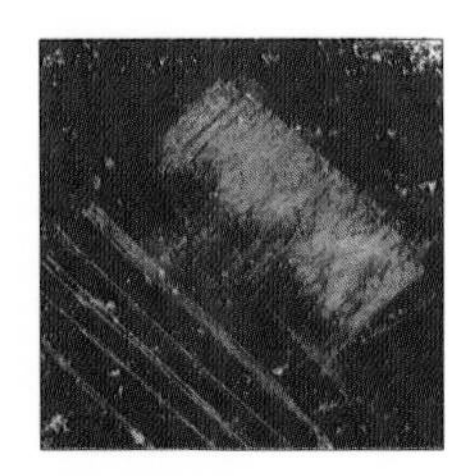

Esgrafiado

Sombreado en brazalete

Plumeado

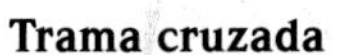

Trama cruzada
El tramado cruzado es una forma de trama que combina dos o más conjuntos de líneas paralelas que se cruzan entre sí con un ángulo determinado. Pueden utilizarse para dar sensación de volumen o, al utilizar dos o más colores, para producir colores secundarios donde los trazos se unen y mezclan ópticamente.

El tramado cruzado en esta pierna produce una sensación de volumen y solidez mucho más intensa que en el caso del contorno de la otra pierna.

Tramado y plumeado

Las líneas cruzadas pueden dibujarse cercanas entre sí para crear un tono más denso o bien más separadas, según la textura y la naturaleza de cada imagen. La característica distintiva del tramado es que las líneas nunca se mezclan entre sí y no pierden intensidad. El plumeado intenta mezclar colores o tonos ópticamente, de tal manera que, manteniendo la individualidad de los trazos, pueden superponerse para crear un efecto brillante y un toque luminoso.

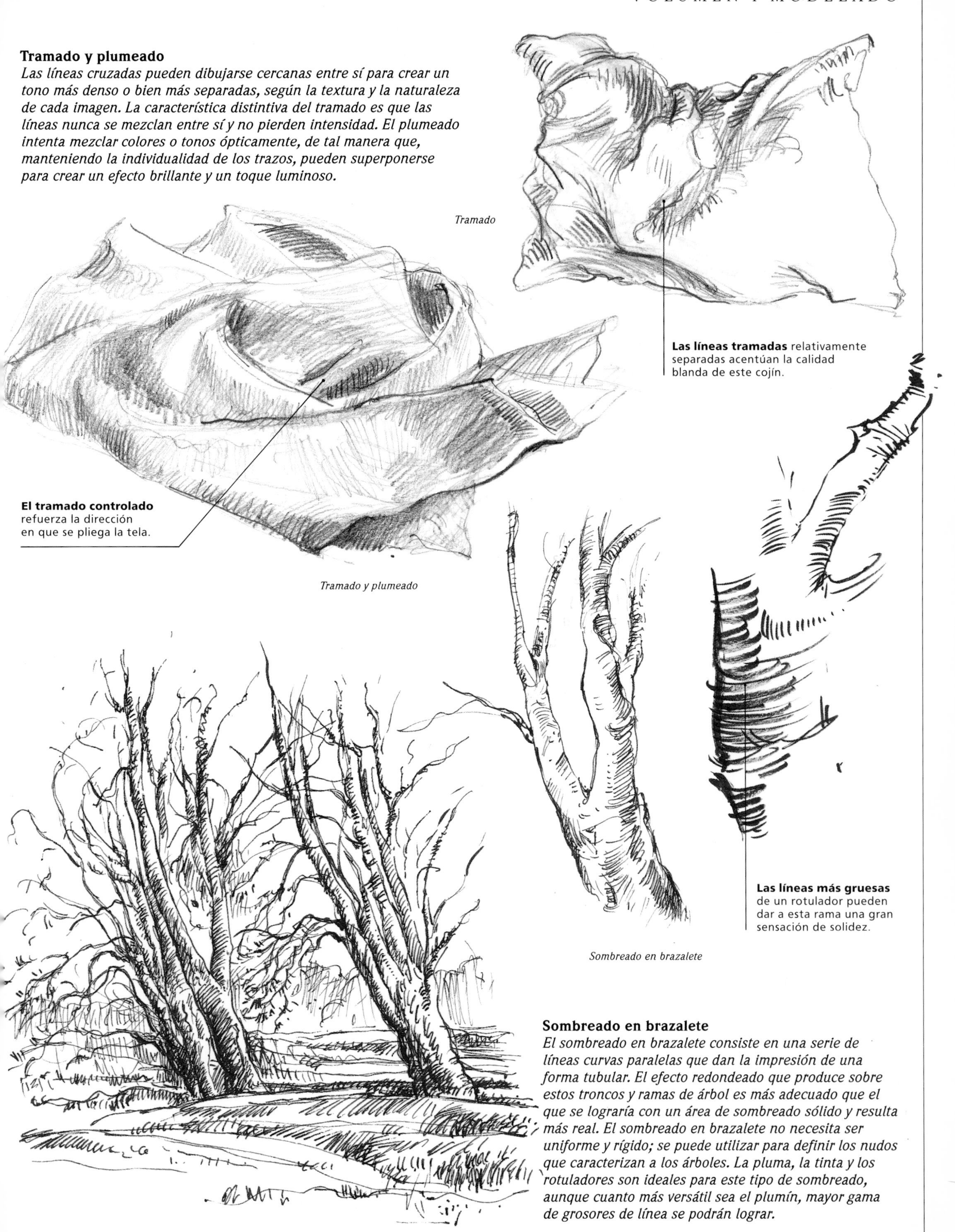

Tramado

Las líneas tramadas relativamente separadas acentúan la calidad blanda de este cojín.

El tramado controlado refuerza la dirección en que se pliega la tela.

Tramado y plumeado

Las líneas más gruesas de un rotulador pueden dar a esta rama una gran sensación de solidez.

Sombreado en brazalete

Sombreado en brazalete

El sombreado en brazalete consiste en una serie de líneas curvas paralelas que dan la impresión de una forma tubular. El efecto redondeado que produce sobre estos troncos y ramas de árbol es más adecuado que el que se lograría con un área de sombreado sólido y resulta más real. El sombreado en brazalete no necesita ser uniforme y rígido; se puede utilizar para definir los nudos que caracterizan a los árboles. La pluma, la tinta y los rotuladores son ideales para este tipo de sombreado, aunque cuanto más versátil sea el plumín, mayor gama de grosores de línea se podrán lograr.

DIBUJO TONAL

PARA ENTENDER LOS GRADOS cambiantes de oscuridad y luz, conocidos como valores tonales, es esencial observar los efectos de luces y sombras sobre los objetos que dibuja. Puede realizar un dibujo utilizando áreas de tono para describir figuras y para dar volumen a las formas con el fin de que parezcan tridimensionales. Los dibujos tonales tienden a tratar temas de ambiente y atmósfera, en los que un área completa puede inundarse con luz o sumergirse en una profunda sombra. Un dibujo puede realzarse utilizando áreas específicas de contraste para crear discrepancias tonales en toda la composición. En este tipo de dibujos es importante recordar que se debe trazar un mínimo de líneas y mantener el énfasis en las figuras y las formas. Utilice los tonos de la misma forma en la que un pintor emplearía los colores para proyectar las imágenes y expresar su estado de ánimo.

Efectos de luz

Para crear los efectos adecuados de luz intensa sobre un bodegón, es importante situar la iluminación en un ángulo que maximice la presencia de reflejos y sombras intensas. Es este contraste el que le permitirá explorar el ritmo tonal de una composición. Utilice un lápiz suave y oscuro para sombrear las formas más oscuras y una goma de borrar para crear los reflejos eliminando parte de los trazos hasta que aflore el blanco del papel. El sombreado sutil de los tonos oscuros y de los luminosos proporciona solidez a las formas y se crea una atmósfera específica para cada dibujo.

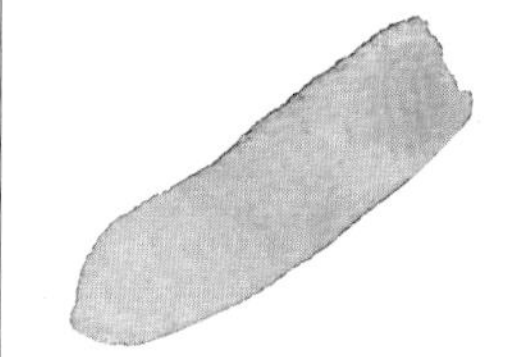

Tonos de acuarela

Este boceto del mismo bodegón en acuarela ilustra cómo puede lograrse un efecto similar de luz y sombra utilizando únicamente tres tonos. El hecho de limitarse a una selección tan pequeña de tonos le ayudará a buscar intensamente las formas marcadas y los contrastes tonales más efectivos.

1 ▲ Comience por estudiar las formas de los objetos y observar cómo incide la luz sobre las distintas superficies. Con un lápiz suave, haga una serie de trazos ligeros para establecer la escala del conjunto de objetos en relación al tamaño del papel. Comience con el objeto más grande, el plato, y utilícelo como referencia para dibujar los demás objetos a escala.

2 ◀ Retoque el primer esbozo aplicando líneas más fuertes una vez que esté satisfecho con su composición. En esta etapa utilice un lápiz más claro para acentuar los contornos como, por ejemplo, el pitorro de la cafetera. Estos contornos servirán como marco para el modelado de los objetos al sombrearlos con tonos claros y oscuros.

3 ▶ Añada un tono gris claro utilizando trazos suaves de barrido con el lateral del lápiz. Una vez que lo haya acabado podrá aumentar el tono para las sombras y borrar partes para crear los reflejos. Explore las formas que proyectan las sombras entre los objetos: al oscurecer las sombras empujará ópticamente a los objetos hacia el frente y les hará parecer menos uniformes. Aplique degradados sobre los objetos, desde el más claro hasta el más oscuro, para darles volumen.

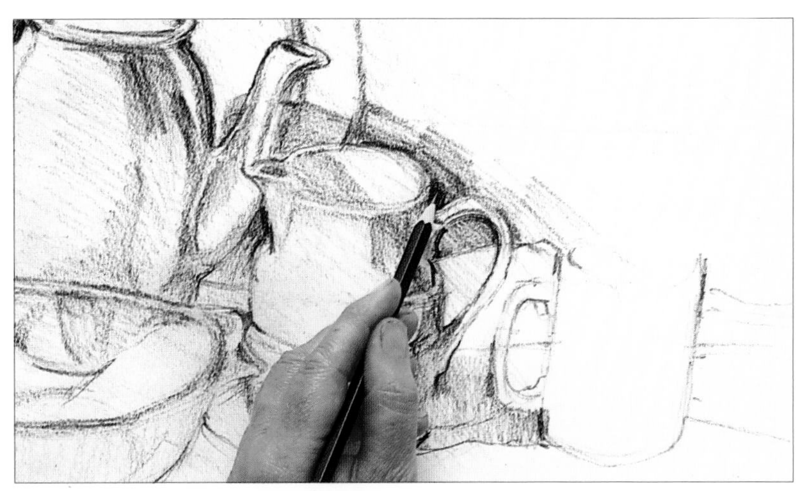

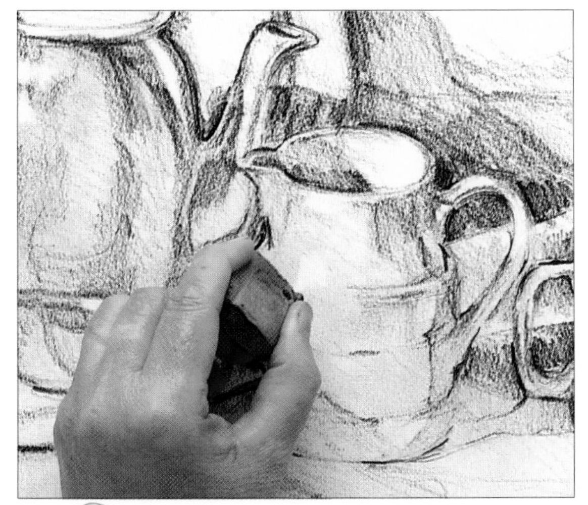

4 ▲ A continuación, cree suaves reflejos sobre la jarra eliminando parte de los trazos con la punta de una goma de borrar. Esta es una forma muy efectiva de «dibujar» las zonas claras, utilizando el blanco del papel como tono más claro de la escala. Estos reflejos iluminarán los objetos y dotarán al dibujo con una fuerte sensación de luz.

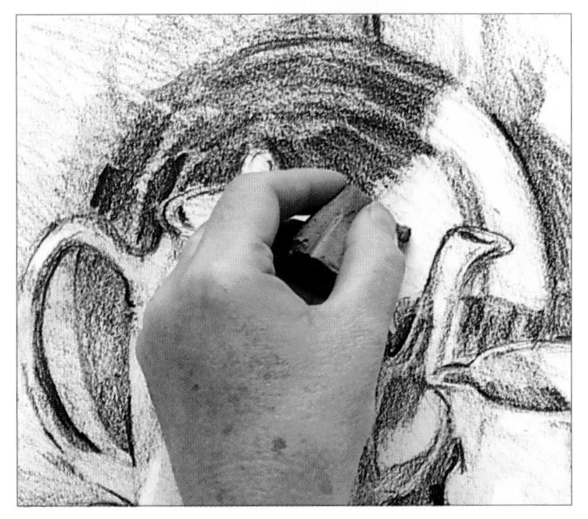

5 ◀ Finalmente, dé los toques finales a los contornos de la sombra sobre el plato con la goma de borrar para que los tonos más oscuros se mezclen sutilmente con los medios y los claros hasta crear un resultado agradable. Las sombras aumentan la sensación de solidez del plato.

Estudio tonal

La calidad tridimensional de este bodegón se logra principalmente sombreando y no trazando líneas. La forma y textura de cada uno de los objetos se crea a partir de una gama sutil de contrastes tonales. La cuidadosa colocación de las sombras da la sensación de espacio y profundidad.

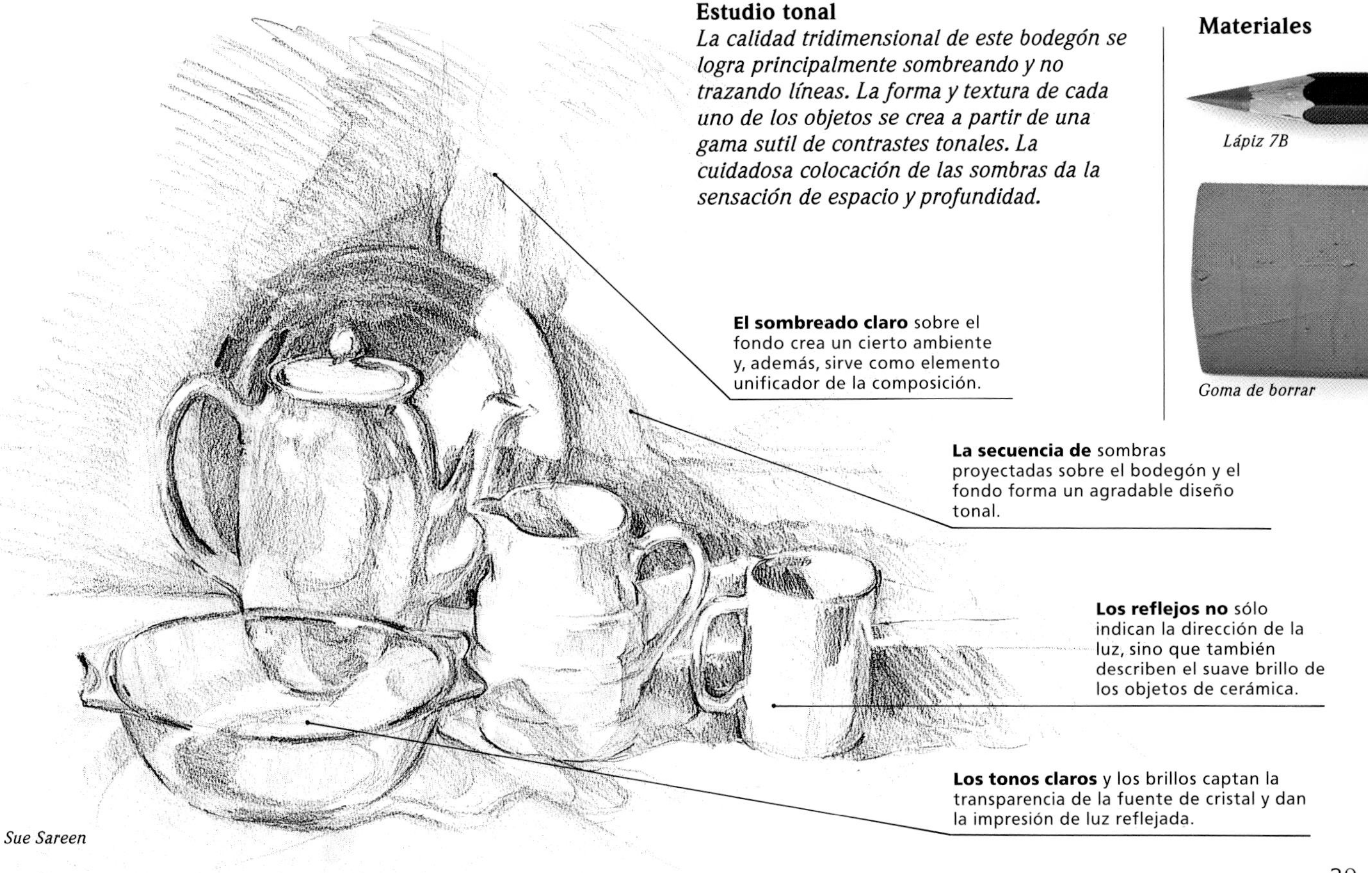

El sombreado claro sobre el fondo crea un cierto ambiente y, además, sirve como elemento unificador de la composición.

La secuencia de sombras proyectadas sobre el bodegón y el fondo forma un agradable diseño tonal.

Los reflejos no sólo indican la dirección de la luz, sino que también describen el suave brillo de los objetos de cerámica.

Los tonos claros y los brillos captan la transparencia de la fuente de cristal y dan la impresión de luz reflejada.

Sue Sareen

Materiales

Lápiz 7B

Goma de borrar

GALERÍA DE VOLÚMENES

EN UN SENTIDO ESTRICTO, el término volumen se refiere al aspecto visual y la figura de una imagen, pero dentro del ámbito del dibujo, también puede incorporar una cualidad escultural: durante el Renacimiento y el Barroco, el énfasis en el arte se ponía en la creación de imágenes lo más sólidas y tridimensionales posible. El trabajo de Miguel Ángel transmite una fuerte sensación de volumen y estructura que va más allá de una interpretación superficial del cuerpo humano. La idea de volumen esculpido aún tiene relevancia en el dibujo actual, aunque a menudo se interpreta de otra manera. La calidad de la línea puede ser más expresiva y sintética y sugerir el movimiento de forma más espectacular.

Miguel Ángel, *Dibujo para una Piedad tardía,* h. década de 1530, *40 × 23 cm*
Uno de los más grandes artistas del Renacimiento, Miguel Ángel, se concentró casi exclusivamente en la figura humana; su conocimiento de la anatomía era impresionante. Esta imagen de Cristo, perfectamente proporcionada, está inmersa en una luz difusa que realza la complejidad de la estructura ósea y muscular que forma su cuerpo. El artista ha modelado estas características hasta formar una imagen dinámica que aún transmite fuerza a pesar del estado sin vida de la figura.

Thomas Newbolt, *Estudio para «Bomba»,*
41 × 71 cm
Incluso a primera vista, este dibujo proporciona una maravillosa sensación de estructura y fuerza. El artista ha dibujado las figuras sencillamente, con contornos gruesos y densos, de tal manera que parecen crear un volumen colectivo. Los detalles se han mantenido al mínimo: la escena resulta espectacular a pesar del anonimato de las figuras.

Paul Lewin, *Costa de Penwith,*
43 × 51 cm
Las formaciones rocosas, con sus formas desnudas y escarpadas y sus dramáticas sombras, son un tema maravilloso para el estudio del volumen. La profundidad y el drama de este dibujo se deben mayoritariamente a la intensa luz que transforma la costa erosionada en una serie de imágenes abstractas y poco usuales. Las sombras densas contribuyen a formar un fuerte patrón tonal al combinarse con toques de luz; todo ello crea sensación de volumen y tridimensionalidad con un resultado impresionante.

Donald Hamilton Fraser, *Bailarina ensayando el papel de Julieta,* *46 × 51 cm*
La observación de los bailarines o los acróbatas permite estudiar el cuerpo humano en movimiento. En esta ocasión, el artista ha elaborado un estudio sensible, aunque elegante, de una bailarina en medio de una secuencia. La esencia de la fuerza de esta obra radica en la síntesis de las líneas, que describen el cuerpo de forma sucinta. A pesar de la simplicidad de las líneas, las zonas como las manos y las piernas adquieren una gran sensación de solidez.

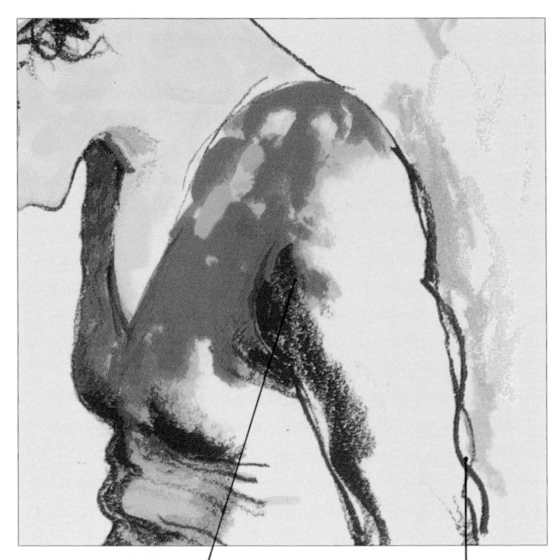

Las líneas simples y gruesas de tiza alrededor del torso sugieren las sombras y dan una sensación realista de volumen y profundidad.

La línea repetida a lo largo del brazo es un eco del constante movimiento de la bailarina.

DISTRIBUCIÓN Y CONSTRUCCIÓN

LA DISTRIBUCIÓN O COMPOSICIÓN de un dibujo debe dar como resultado un orden equilibrado de las figuras, los colores y las formas. Utilice un marco visualizador para elegir la escena más adecuada y dibuje la distribución midiendo cada figura cuidadosamente. La medición es un elemento esencial en la construcción de un dibujo, ya que proporciona la escala por medio de la cual se evalúan la relación y las proporciones de las distintas masas. Los objetos pueden medirse visualmente con el extremo de un lápiz.

Ajuste las dos L del visor hasta que haya seleccionado la composición más adecuada

A MENUDO RESULTA DIFÍCIL seleccionar únicamente unos cuantos elementos de un paisaje para el dibujo, por lo que debe utilizar un marco visor para valorar la escena que se le presenta.

El uso de un visor
Un visor construido a partir de cartulina (izquierda) puede ayudarle a seleccionar la parte de una escena que le gustaría dibujar, y es posible adaptarlo para varios tamaños. Lo que ve a través del marco varía de acuerdo con la distancia a ojo y a la forma en que ajuste las dos L. Haga un boceto rápido a lápiz de esta imagen enmarcada si quiere asegurarse de que la composición es la correcta.

La medición
Si trabaja en una composición grande, o a partir de bocetos y fotografías, puede preferir establecer una escala para medir los distintos componentes de una escena. Sin embargo, si dibuja directamente del natural, intente utilizar la técnica del «tamaño a ojo». Esto supone medir una imagen directamente tal y como la ve, con el extremo de un lápiz o una regla. Transfiera la medida al papel para que la imagen tenga un tamaño idéntico.

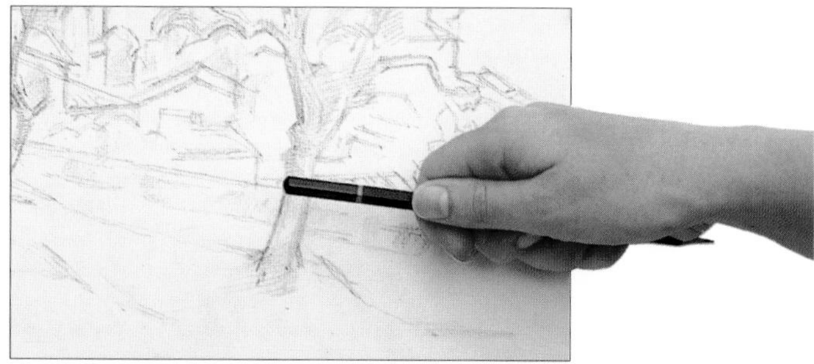

El dibujo del natural de una serie de edificios

El dibujo del natural puede ser tan estimulante como problemático, de modo que planifique su composición con cuidado y mida constantemente hasta que su ojo adquiera práctica en la determinación de tamaños y escalas.

1 ▶ Dibuje, con un lápiz suave, los contornos de estos edificios como una serie de líneas simples sobre una hoja grande de papel semirrugoso.

Deconstrucción de una imagen
Una escena como este grupo de edificios puede parecer bastante compleja y desalentadora a primera vista, pero si la reduce a una serie de formas simples y bloques tridimensionales en su mente, logrará descubrir su perspectiva y su estructura cuando comience a dibujar.

2 ◀ La pared en el primer plano proporciona una fuerte sensación de perspectiva; dibújela como un conjunto de líneas convergentes.

3 ▶ Añada los detalles finales, comprobando que las puertas y ventanas están en proporción respecto al tamaño de los edificios.

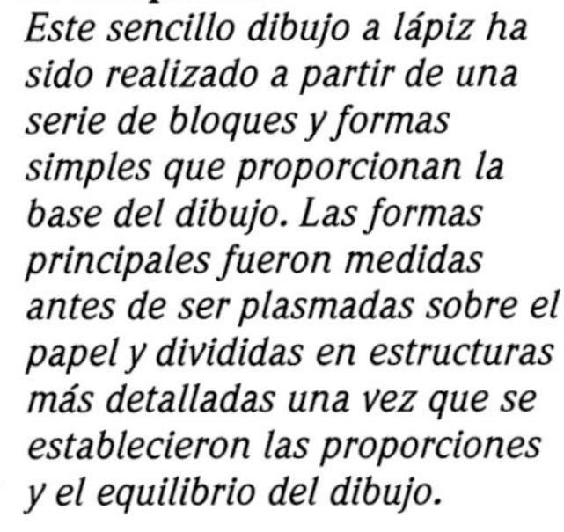

El campanario
Este sencillo dibujo a lápiz ha sido realizado a partir de una serie de bloques y formas simples que proporcionan la base del dibujo. Las formas principales fueron medidas antes de ser plasmadas sobre el papel y divididas en estructuras más detalladas una vez que se establecieron las proporciones y el equilibrio del dibujo.

El aspecto tridimensional de estos edificios crea una fuerte sensación de profundidad.

Las formas individuales fueron medidas cuidadosamente para mantener las proporciones correctas.

La pared se ha construido con líneas inclinadas entre sí para crear una fuerte sensación de perspectiva.

James Horton

Materiales

Lápiz 4B

PLOMADA

Una plomada —un pequeño peso en el extremo de un cordel que produce una línea totalmente vertical— resulta vital si necesita comprobar la rectitud y el equilibrio de un edificio.

EDIFICIOS Y ARQUITECTURA

LA GRAN VENTAJA de dibujar edificios es que son permanentes y estacionarios, por lo que se dispone de un cierto tiempo para estudiar el tema. La perspectiva es una de las prioridades básicas si se quiere dibujar un estudio arquitectónico convincente; la forma en que un objeto con lados regulares tiende a disminuir hacia un punto de fuga crea una sensación de lejanía. También resulta vital lograr las proporciones exactas de forma que el espacio ocupado por las ventanas y las puertas sea correcto en relación al tamaño global del edificio y la escala de cualquier elemento decorativo o de cualquier punto de interés. Los edificios modernos suelen tener una apariencia bastante regular, mientras que otros edificios, como las catedrales, tienden a estar más decorados y sujetos a las reglas clásicas de la proporción. Busque los efectos cambiantes de la luz sobre la construcción, ya que puede crear modelos interesantes de reflejos y sombras, e intente describir una variedad de superficies texturales para dar mayor vida a su dibujo.

Pluma y tinta
La pluma y la tinta son los medios más adecuados para dibujar edificios, ya que permiten utilizar las líneas finas para captar escenas bulliciosas o pequeños detalles.

La elección del lugar adecuado
Una vez que haya elegido un edificio interesante para dibujar, busque un lugar tranquilo en el que pueda observar con facilidad la totalidad de la estructura –preferiblemente desde un ángulo; así podrá dibujar más de un lado del edificio y dar una mayor sensación de solidez. Además, vale la pena considerar la altura de los ojos en el momento de hacer la apreciación, especialmente si pretende poner el énfasis en la altura de un edificio imponente.

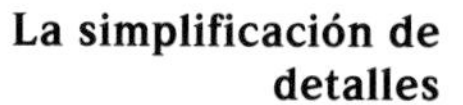

La simplificación de detalles
Puede simplificar fácilmente los edificios que dibuja si contienen demasiados elementos ajenos u omitir objetos como, por ejemplo, coches aparcados. Estos detalles pueden resultar demasiado evidentes y competir innecesariamente con el diseño arquitectónico.

1 ▲ Reduzca la estructura básica del edificio a una serie de figuras geométricas sencillas y dibújelas con un lápiz sobre papel Ingres liso; el papel hecho a mano resultaría demasiado rugoso e irregular para utilizar pluma y tinta. El edificio está ligeramente curvado, de modo que conviene buscar la forma en que la luz acentúa los diferentes ángulos.

2 ◄ Prepare una aguada de acuarela de color marrón pálido y aplíquela libremente sobre el dibujo con un pincel de marta grueso para sugerir la tonalidad general del edificio. Prepare una aguada más oscura para las zonas de sombras más intensas como, por ejemplo, los árboles de la izquierda y el interior del arco.

3 ◀ Cuando la aguada de color esté seca, utilice un pincel de marta pequeño para crear las texturas y detalles del edificio con un marrón más oscuro; dibuje la piedra y las persianas de madera de las ventanas con toques suaves de color. Los pinceles de marta, con sus puntas finamente afiladas y su capacidad para retener la pintura, permiten dibujar con una precisión muy superior a la del resto de pinceles.

4 ▶ Para los detalles más delicados, utilice una tinta de color sepia y una pluma o plumín de acero. Dibuje con cuidado el intrincado trabajo de hierro del balcón, intentando no ejercer demasiada presión sobre el plumín —cualquier línea gruesa contrastará desagradablemente con la delicada calidad del trabajo a pluma.

5 ▲ Finalmente, para destacar los detalles que considere oportunos, utilice pluma y tinta sepia. El color de esta tinta realza sin por ello disminuir la aguada de acuarela marrón. Recuerde seleccionar únicamente aquellos detalles que le interesen o que refuercen el diseño característico del edificio.

Casa de pueblo en la Toscana
Una combinación de pluma, tinta y aguadas de acuarela sobre papel liso convierten este dibujo en un estudio atractivo y detallado. El artista ha dibujado la estructura del edificio con precisión, ha tenido en mente las proporciones de los elementos individuales y ha logrado una fuerte sensación de perspectiva, ignorando detalles como el de la antena de televisión en el tejado o los coches aparcados en la parte frontal. De esta manera el dibujo cobra una calidad atemporal.

La punta del pincel de marta se ha utilizado para sugerir texturas como el trabajo en la piedra y las persianas de madera.

Los detalles innecesarios se han excluido o generalizado.

James Horton

Las zonas de luz y sombra ayudan a aumentar la sensación de perspectiva y a dar vida al dibujo.

Materiales

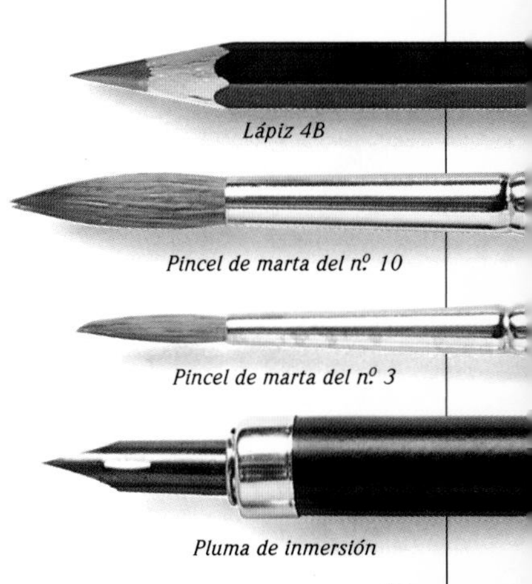

Lápiz 4B

Pincel de marta del nº 10

Pincel de marta del nº 3

Pluma de inmersión

INTERIORES Y EXTERIORES

EL INTERIOR O EL JARDÍN MÁS MODESTO puede inspirar en gran medida a un artista, en particular si la escena le es familiar. La ventaja de trabajar en un ambiente tan inmediato es que puede buscar formas poco habituales o relaciones espaciales interesantes con objetos tan sencillos como sillas o mesas. La combinación de una escena interior con una vista exterior puede añadir una nueva dimensión a un trabajo: además de que supone un gran reto, resulta interesante plasmar el contraste entre la luz interior y la exterior. Seleccione la cantidad de información que dibuja en cada zona para obtener una composición equilibrada.

La calidad cambiante de la luz
La luz natural que impregna los interiores es de una calidad muy diferente a la de los exteriores. La variedad de rayos difusos y tonos más intensos da a los interiores un ambiente más suave y tranquilo que contrasta vivamente con la luz intensa y uniforme de un exterior.

1 ◀ Busque los colores ricos e intensos del paisaje exterior y los colores fríos y apagados del interior. Esboce la escena con carboncillo sobre un papel Ingres de color marrón y después aplique colores pastel pálidos al mantel.

2 ▶ Contraste los pálidos pasteles con negro y púrpura intenso en el marco de la ventana mediante la técnica del tramado. Las finas líneas de color deben mezclarse ópticamente.

3 ◀ Una vez que haya decidido las zonas básicas de color cálido y frío, comience a aplicar sobre los colores pálidos del balcón inundado de sol tonos más ricos. Utilice la técnica del plumeado para aplicar un color rosa intenso sobre el pálido malva del suelo del balcón. Estos colores deberían dar luminosidad y vida al dibujo. Si tiene alguna duda al utilizar un color pastel, especialmente si trabaja con papel coloreado, pinte un poco una esquina para probarlo.

4◀ Aumente el contraste entre el balcón y el interior trazando líneas oscuras con carboncillo en la parte más sombría de la puerta.

5▶ El interior está lleno de una luz nebulosa reflejada que proviene de los objetos sobre los que incide directamente el sol. El techo anguloso sobre la puerta despide ese tipo de luz suave, trémula, para la que debe emplear un tono rosa pálido.

6▶ Finalmente, vuelva a trabajar con los colores pastel más brillantes la fruta que se encuentra sobre la mesa. Después, equilibre los tonos intensos del bodegón acentuando los detalles de la puerta con carboncillo. Intente dejar el fondo sin definir y relativamente pálido para aumentar la sensación de distancia detrás del balcón.

Materiales principales

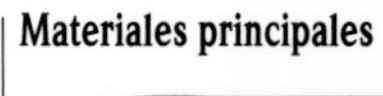

Carboncillo

Selección de pasteles para el interior

Selección de pasteles para el exterior

Bodegón en un balcón
Este dibujo está compuesto a base de contrastes de color: los pasteles brillantes, intensos, describen la escena exterior y los colores más oscuros, suavizados, evocan el interior sombreado. Este conjunto de reflejos y sombras constituye una amplia gama de valores tonales intensos en todo el dibujo, lo que también refuerza la buena sensación de perspectiva aérea. La puerta enmarca toda la composición con gran efectividad y dirige la mirada hacia el punto de interés que supone la fruta en el balcón.

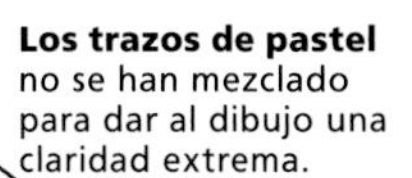

Los trazos de pastel no se han mezclado para dar al dibujo una claridad extrema.

Se han utilizado los colores pastel brillantes, tanto pálidos como intensos, para las zonas bañadas por el sol.

El contraste entre el balcón iluminado y el interior sombreado aumenta la sensación de atmósfera y perspectiva aérea, o de profundidad, del dibujo.

James Horton

MANTENGA LIMPIO SU TRABAJO

Los pasteles y tizas generan un polvo fino al trabajar con ellos, por lo que es recomendable el empleo de una hoja de papel para apoyar la mano al dibujar. Esta técnica también resulta útil con los lápices.

GALERÍA DE COMPOSICIÓN

A PESAR DE QUE UN DIBUJO puede abarcar desde un trazo rápido en un cuaderno de bocetos hasta un trabajo muy detallado y acabado, la composición siempre es un elemento importante. Ésta depende de una serie de factores como son la disposición de las formas y los volúmenes, la intensidad de los tonos y los colores. Cuanto más complejo sea un dibujo, más deberá tener en cuenta que los elementos individuales se interrelacionan para formar un todo coherente e interesante. Un punto de vista poco habitual o una composición en ángulo también pueden dar lugar a un trabajo atractivo. Es posible que una vez comenzado un dibujo necesite explorar un área más allá de los límites del papel: añada una hoja adicional para continuar su trabajo y lograr una composición mayor.

Thomas Newbolt,
Estudio para el quiosco de música III, *61 × 46 cm*
En este dibujo a carboncillo el artista ha utilizado un ingenioso punto de vista desde lo alto de un árbol; da la impresión de que espía a las personas que caminan debajo. La composición del dibujo es sencilla pero dinámica, y las figuras se mantienen en su lugar gracias al camino diagonal y al follaje del árbol que las enmarca.

Jon Harris, *La avenida King,* *56 × 76 cm*
Este trabajo contiene abundantes líneas y trazos que el artista ha dibujado con un rotulador copiando directamente desde la calle. La poderosa perspectiva que caracteriza a esta composición se ve exagerada por la avenida que abarca todo el primer plano y converge en un punto de fuga distante. La gran señal de tráfico dividida, que domina el extremo derecho de la obra, aumenta la inmediatez de la composición y le otorga un aspecto menos estructurado. Un conjunto de tramas cruzadas contribuye a dar tonalidad y textura al cuadro.

Jane Stanton, *Detrás del marcador,* *25 × 36 cm*
Este dibujo forma parte de una serie que la artista realizó desde detrás del marcador de un campo de críquet. Aunque la atención se dirige inmediatamente hacia las dos figuras sentadas, la artista también quedó fascinada por las formas dentro de la habitación: las líneas de las paredes que se intersectan, la imagen repetida de las puertas y los armarios de la parte superior. Al colocar a los personajes en un ángulo, consigue aumentar el interés e intensificar la tensión en la escena.

Anne-Marie Butlin, *Dos peras,* *25 × 30 cm*
Esta composición cuidadosamente estudiada transforma un bodegón de extrema simplicidad en un estudio fascinante. Visto desde cerca, el borde de la mesa que aparece en el cuadro divide la composición en dos, de manera que centra aún más la atención sobre la fruta. La extraña colocación de las peras también implica que la artista ha buscado generar un cierto grado de tensión en esta obra.

Boudin, *Escena en la playa,* finales del siglo XIX, *29 × 72 cm*
Este delicioso cuadro al pastel capta un momento de diversión de unas personas que se relajan en la playa. Boudin ha elegido deliberadamente un formato largo y estrecho para aumentar la sensación de que se contempla un tramo de costa interminable. El trazo impresionista con el que se sugieren las formas y figuras en colores pastel otorga un aire distintivo, una sensación de espacio que hace que la escena parezca existir más allá de los confines del papel coloreado.

EL DIBUJO DE VOLÚMENES NATURALES

EL DIBUJO DE VOLÚMENES NATURALES suele constituir un género por sí mismo, ya que requiere un enfoque más observador e investigador para reflejar con exactitud y detalle el aspecto y comportamiento de un animal o de una planta. Es preciso trabajar metódicamente para captar las características particulares del tema, en lugar de aplicar la propia inventiva artística para crear una interpretación personal. Seleccione un medio acorde a la calidad del objeto: un medio fuerte para los dibujos vigorosos y los trazos limpios de una pluma con tinta para los trabajos más exactos.

Pasear por la playa es una de las mejores formas de encontrar materiales interesantes para dibujar.

Crustáceos

Resulta fascinante observar a los crustáceos; la «mecánica» de una criatura como esta langosta resulta intrigante. Cuanto más tiempo pase examinando cómo están unidas las diferentes articulaciones y los reflejos de luz sobre el caparazón, más realista será su dibujo. Utilice primero un lápiz para establecer la forma esencial y las características de la langosta antes de pasar al medio permanente, en este caso pluma y tinta.

1 ▶ Disponga la langosta y las conchas en un rincón donde puedan permanecer el tiempo suficiente para permitirle estudiarlas y dibujarlas. Esboce la forma básica de la langosta con trazos ligeros y rápidos con un lápiz de punta larga y afilada sobre papel de acuarela liso.

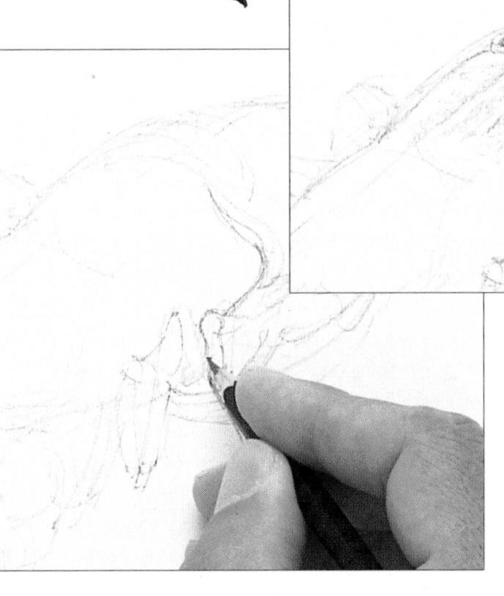

2 ▶ Describa los demás objetos alrededor de la langosta para establecer las proporciones correctas antes de añadir los detalles finales. Quizá desee apoyar su mano sobre una hoja de papel para evitar emborronar las marcas a lápiz.

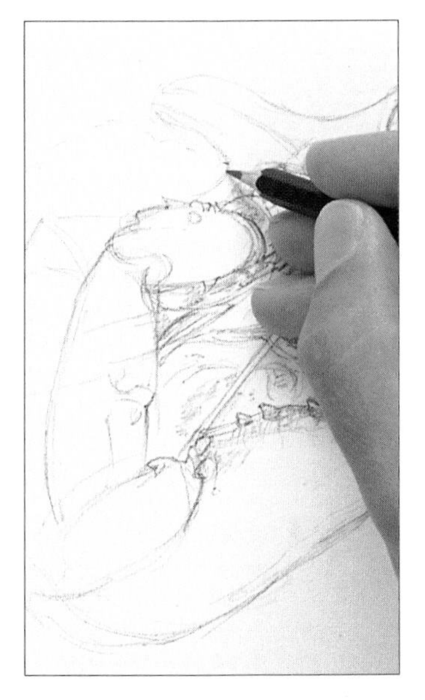

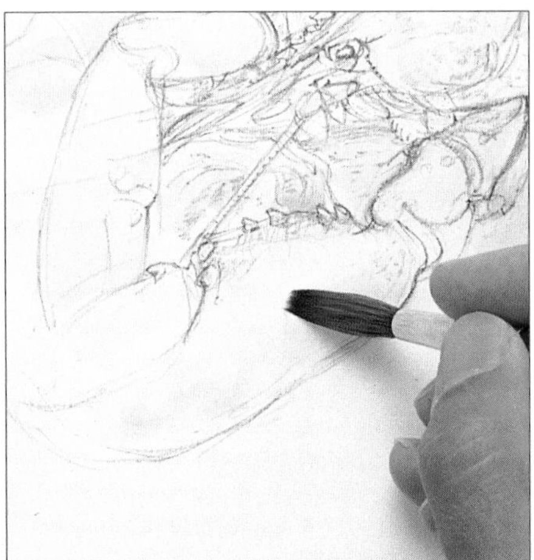

3 ◀ Comience a crear el volúmen de la langosta con un pincel de marta mediano y una aguada de amarillo pálido. Aplique la acuarela poco a poco si no quiere exagerar ningún aspecto del trabajo en esta etapa.

4 ▲ Una vez que se haya secado la primera aguada de acuarela, aplique otra marrón escarlata al cuerpo de la langosta con una serie de puntos que imiten el aspecto de su caparazón moteado. El pelo del pincel de marta debe permitirle ejercer un buen control.

5 ▶ Sombree ligeramente algunas áreas del fondo con una aguada marrón oscura diluida para dar profundidad al dibujo y proyectar el volumen de la langosta hacia el frente.

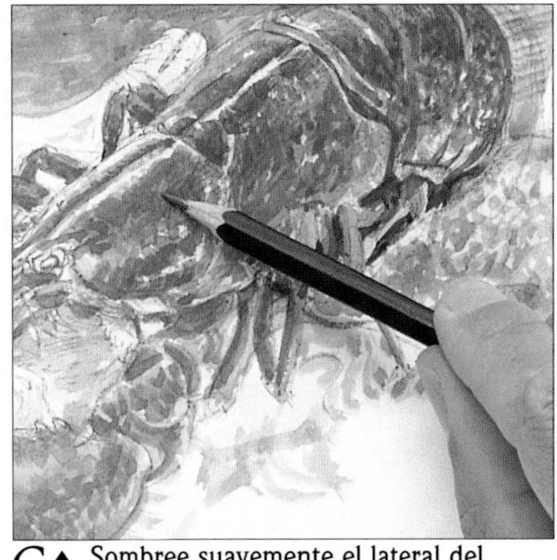

6 ▲ Sombree suavemente el lateral del caparazón de la langosta con el lápiz para crear una serie de tonos oscuros. De esta forma contribuirá a dar a la imagen un aspecto tridimensional.

Materiales

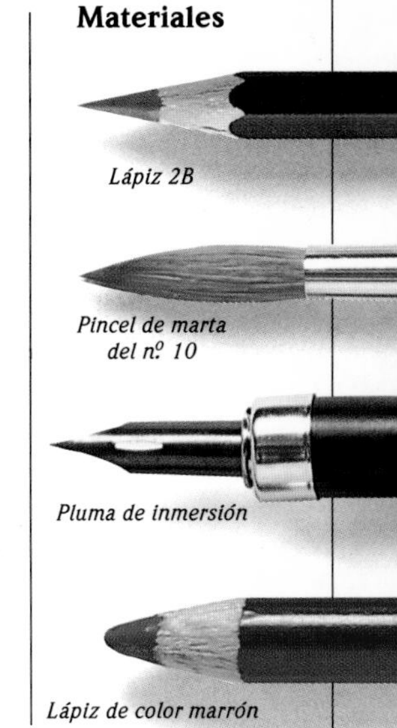

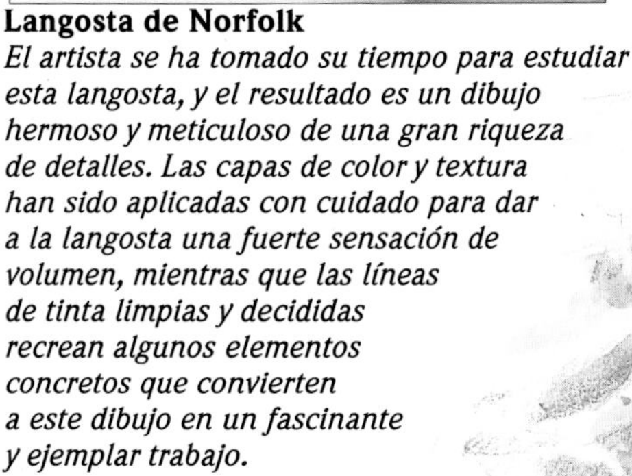

7 ◀ Utilice una pluma de inmersión y tinta sepia para redefinir la forma y los detalles de la langosta. Acentúe cualquier zona en sombra con líneas gruesas y oscuras, y los reflejos con líneas de tinta finas y delicadas. Las tramas en las zonas más oscuras proyectarán la imagen hacia delante.

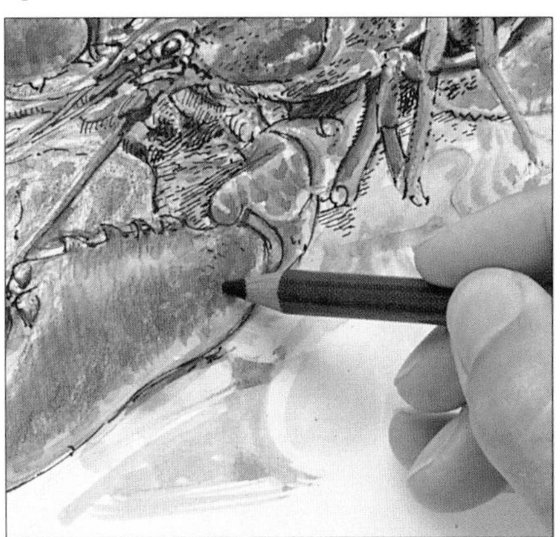

8 ◀ Retoque los tonos del caparazón y las pinzas con un lápiz de color marrón. Los trazos a lápiz proporcionarán textura al dibujo y contribuirán a romper cualquier zona de pintura que hubiese quedado demasiado plana.

Langosta de Norfolk

El artista se ha tomado su tiempo para estudiar esta langosta, y el resultado es un dibujo hermoso y meticuloso de una gran riqueza de detalles. Las capas de color y textura han sido aplicadas con cuidado para dar a la langosta una fuerte sensación de volumen, mientras que las líneas de tinta limpias y decididas recrean algunos elementos concretos que convierten a este dibujo en un fascinante y ejemplar trabajo.

Las capas de acuarela se han convertido en una serie de tonos sutiles que recrean con gran acierto el volumen de la langosta.

Un lápiz de color rompe las áreas planas de acuarela y proporciona textura.

Las líneas iniciales a lápiz son incorrectas desde el punto de vista técnico, pero añaden vitalidad al dibujo.

Richard Bell

PAISAJES

EL DIBUJO DE PAISAJES es de desarrollo relativamente reciente en el arte; no fue hasta el siglo XVIII cuando los efectos cambiantes de luz y las condiciones climáticas de un paisaje se convirtieron en un tema popular. Resulta esencial ser consciente del modo en que el sol atraviesa una escena, ya que la definición de las características individuales y la longitud de las sombras pueden cambiar de forma espectacular. Quizás el mejor problema al dibujar un paisaje consista en decidir qué incluir y qué dejar fuera. Un visor es la mejor manera de seleccionar una vista de un amplio panorama. La acuarela es uno de los medios más indicados para dibujar paisajes, ya que permite captar rápidamente efectos transitorios del tiempo.

1 ▸ Utilice un visor para seleccionar una composición atractiva. Con un lápiz, mida las proporciones del pueblo en la montaña y dibújelo como una serie de cubos y triángulos sobre papel de acuarela rugoso. La situación ligeramente descentrada del pueblo crea una composición poco habitual. Puede añadirse de forma gradual para equilibrar el dibujo.

2 ◂ Busque algún elemento del primer plano y del plano medio que dé sensación de perspectiva: por ejemplo, árboles o una colina inclinada. Una línea diagonal a la izquierda le ayudará a dirigir la mirada hacia el pueblo. Mantenga la vegetación a la misma escala que el pueblo midiendo cuidadosamente cada elemento.

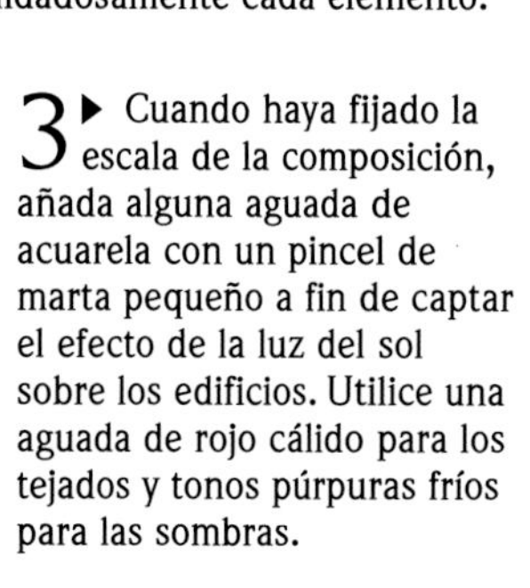

3 ▸ Cuando haya fijado la escala de la composición, añada alguna aguada de acuarela con un pincel de marta pequeño a fin de captar el efecto de la luz del sol sobre los edificios. Utilice una aguada de rojo cálido para los tejados y tonos púrpuras fríos para las sombras.

4 ▲ Describa los troncos y las ramas de los árboles en el primer plano con el pincel de marta y una aguada marrón pálido. Aplique la aguada ligeramente para mantener la claridad de las líneas y elimine cualquier error con un trozo de papel de cocina.

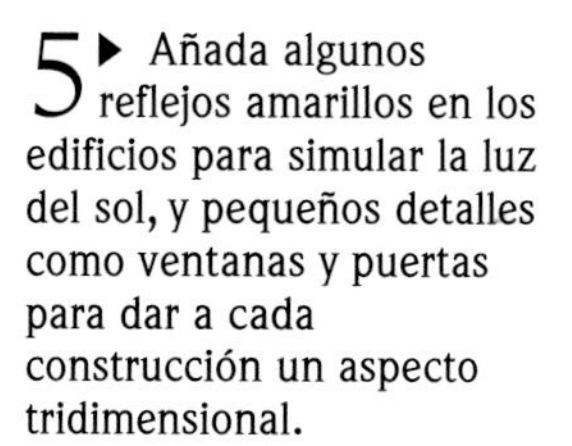

5 ▶ Añada algunos reflejos amarillos en los edificios para simular la luz del sol, y pequeños detalles como ventanas y puertas para dar a cada construcción un aspecto tridimensional.

6 ◀ Utilice el lápiz para sugerir las sombras proyectadas por el campanario. Incline el lápiz ligeramente para sombrear con suavidad las áreas más oscuras. Si el paisaje circundante aún queda escaso, añada más trazos ligeros y gestuales de acuarela para reforzar la composición.

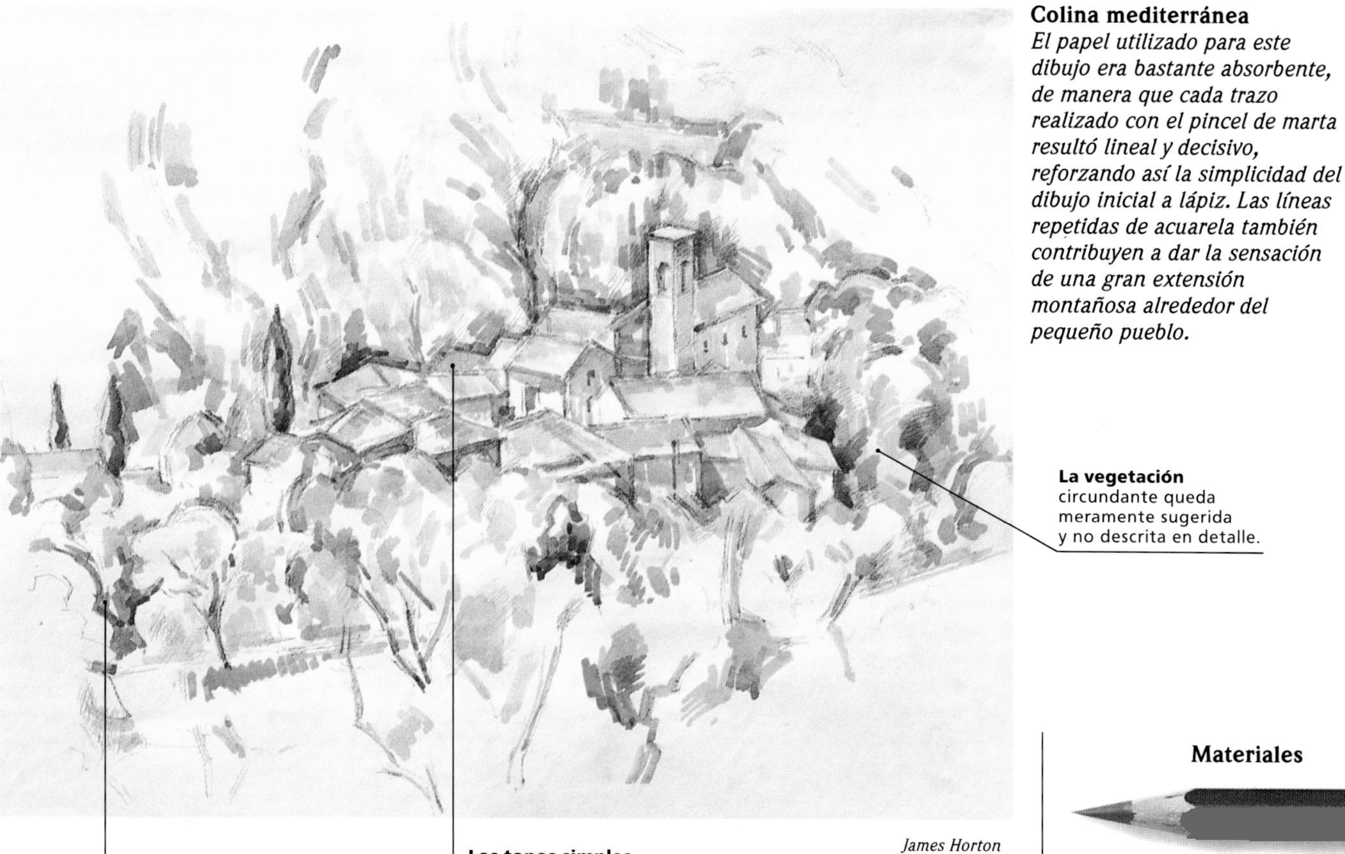

Colina mediterránea
El papel utilizado para este dibujo era bastante absorbente, de manera que cada trazo realizado con el pincel de marta resultó lineal y decisivo, reforzando así la simplicidad del dibujo inicial a lápiz. Las líneas repetidas de acuarela también contribuyen a dar la sensación de una gran extensión montañosa alrededor del pequeño pueblo.

La vegetación circundante queda meramente sugerida y no descrita en detalle.

James Horton

Los árboles en el primer plano se utilizan como referencia identificable y crean sensación de perspectiva.

Los tonos simples sobre las construcciones evocan la luz brillante del sol incidiendo en ángulo sobre el pueblo.

Materiales

Lápiz de grafito 4B

Pincel de marta del nº 4

GALERÍA DE VOLÚMENES NATURALES Y PAISAJES

EL DIBUJO DE VOLÚMENES NATURALES ha reunido a menudo a artistas y científicos. Muchos de los dibujos de Leonardo, por ejemplo, son a la vez dibujos del natural y estudios científicos detallados. Hasta el descubrimiento de la fotografía a mediados del siglo XIX, el dibujo se empleó para ilustrar todo tipo de objetos diferentes: el resultado eran unas hermosas imágenes llenas de información relevante. El dibujo narra la manera en que percibimos el mundo que nos rodea, y quizás ésa sea la razón por la cual los artistas se dirigen tan fácilmente hacia los paisajes y los objetos naturales como fuente de inspiración. Algunos paisajes interesantes no sólo contienen elementos naturales; las construcciones del hombre aparecen a menudo en un paisaje en equilibrio con las formas naturales que les rodean, fundiéndose con el medio.

Van Dyck, *Estudio de árboles,* finales de la década de 1630, *20 × 24 cm*
La textura suave de los árboles en este lírico dibujo a pluma y tinta pone de manifiesto que la preocupación principal de Van Dyck era lograr una bella interpretación del tema.

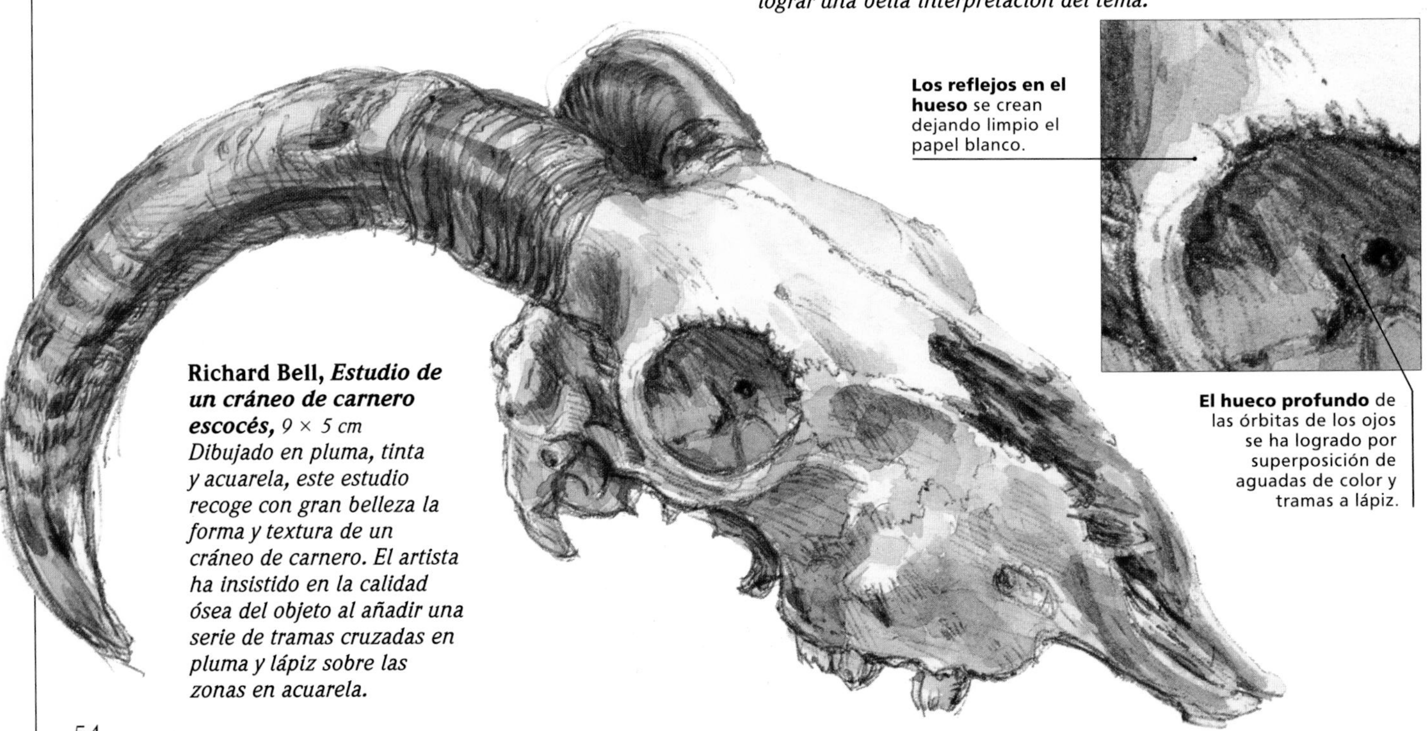

Los reflejos en el hueso se crean dejando limpio el papel blanco.

El hueco profundo de las órbitas de los ojos se ha logrado por superposición de aguadas de color y tramas a lápiz.

Richard Bell, *Estudio de un cráneo de carnero escocés,* *9 × 5 cm*
Dibujado en pluma, tinta y acuarela, este estudio recoge con gran belleza la forma y textura de un cráneo de carnero. El artista ha insistido en la calidad ósea del objeto al añadir una serie de tramas cruzadas en pluma y lápiz sobre las zonas en acuarela.

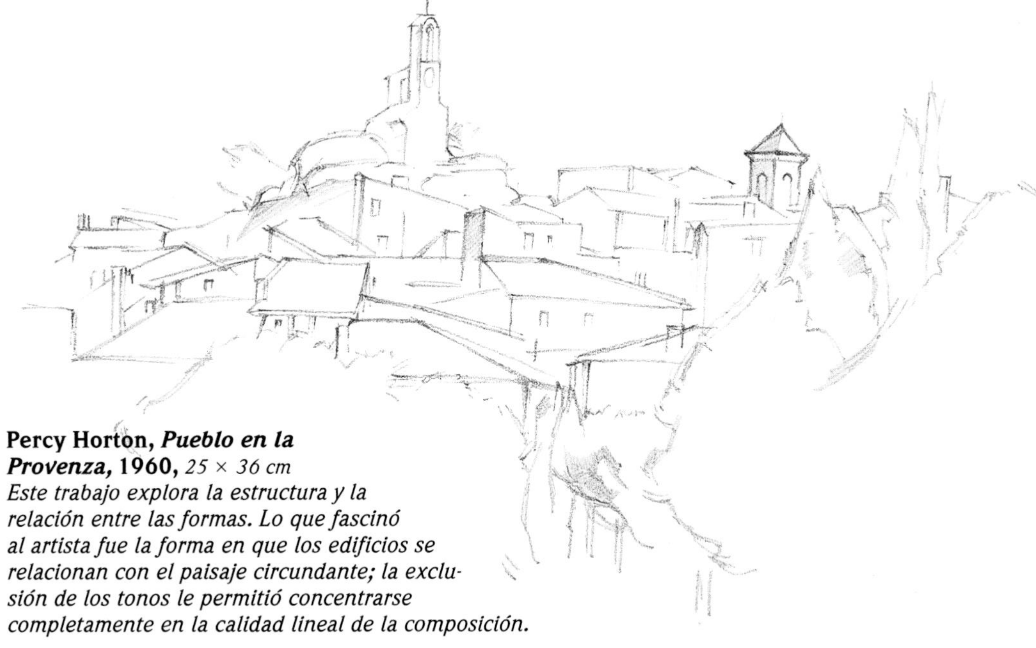

Percy Horton, *Pueblo en la Provenza,* 1960, *25 × 36 cm*
Este trabajo explora la estructura y la relación entre las formas. Lo que fascinó al artista fue la forma en que los edificios se relacionan con el paisaje circundante; la exclusión de los tonos le permitió concentrarse completamente en la calidad lineal de la composición.

Paul Lewin, *Marina (a partir de una obra de Courbet),* *64 × 71 cm*
En este dibujo, el artista se ha concentrado en una interpretación personal de una escena del natural. Ha aplicado el pastel y el carboncillo vigorosamente para crear un ambiente impresionante. Aunque el horizonte del dibujo es bajo, el cielo cobra vida con colores fuertes y texturas que forman una superficie muy dinámica. Este trabajo ilustra cómo puede utilizarse un paisaje como base para dar una visión personal.

La falta de detalle da a esta marina un aspecto expresionista corroborado por el uso limitado del color.

La atmósfera oscura y taciturna de este dibujo gana intensidad a través de una serie de tonos oscuros y densas tramas cruzadas.

FIGURAS Y TELAS

LA ROPA PUEDE OCULTAR y distorsionar la forma real de nuestros cuerpos, por lo que es importante entender cómo se comporta la tela cuando cae en pliegues alrededor de una figura. La forma más sencilla de dibujar una figura vestida consiste en trabajar en primer lugar sobre las proporciones del cuerpo y dibujar éste como una serie de formas simples, ignorando las formas ondulantes de la tela. Una vez resuelto el volumen de la figura puede comenzar a explorar la forma en que el material cae desde alguna zona del cuerpo en particular. No trabaje en exceso los pliegues y recogidos de la tela: la imagen parecería rígida y poco natural.

Boceto de figuras

Las figuras humanas siempre suponen un atractivo tema de estudio. Una buena manera de ganar confianza en el dibujo de figuras humanas es con un cuaderno de apuntes: haga bocetos rápidos de figuras sentadas en el autobús o en el tren; fíjese en la caída de la ropa y en cómo esto acentúa la forma en que están sentadas.

Figuras en movimiento

Si dibuja estudios repetidos de una figura en movimiento, utilice un medio rápido como el lápiz o la pluma y acuarela para captar las facciones más interesantes: busque la forma en que se comporta la ropa cuando gira o se mueve.

1 ◀ Los pliegues de la tela crean formas interesantes sobre la figura y en torno a ella. Dibuje, en primer lugar, las proporciones de la mujer con carboncillo sobre papel para pastel ligeramente tintado; reduzca la imagen a una serie de formas simples. Repita las líneas o cambie el ángulo de la cabeza hasta lograr una posición adecuada de la figura.

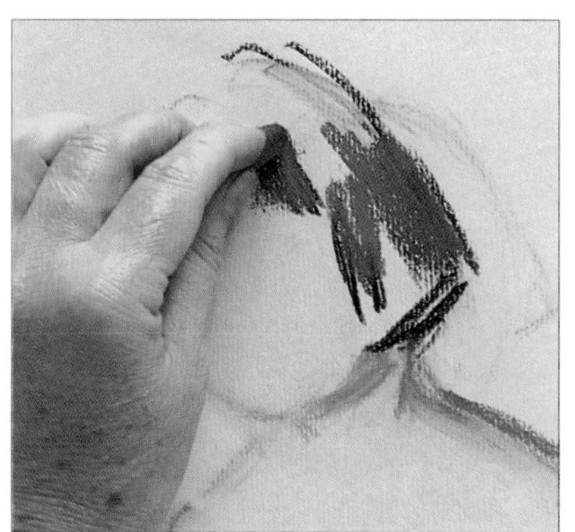

2 ▲ Recubra de color los rasgos esenciales y aplique a la piel tonos pastel suaves hasta lograr un parecido razonable. Después concéntrese en la descripción de los ritmos y tonalidades variables de los distintos materiales.

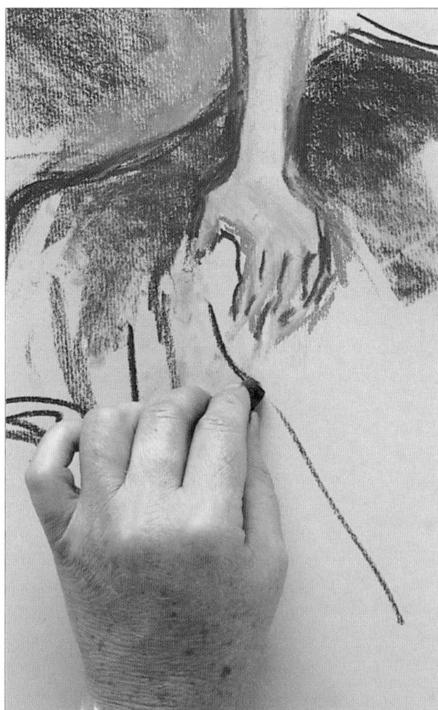

3 ▲ Dibuje los pliegues profundos creados por la tela que cubre el asiento; vigile la manera en que cuelga y en cómo capta la luz. Necesitará una gama amplia de verdes pastel para recrear los fuertes efectos de la luz, por lo que debe marcar primero las formas de la tela con un solo color.

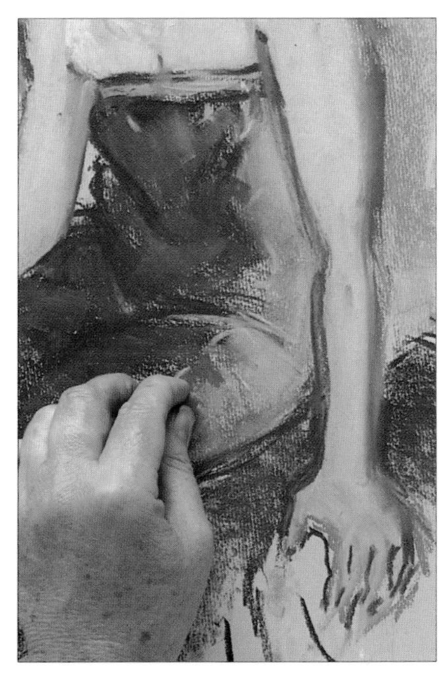

4◀ Desarrolle las tonalidades del *sarong* de la mujer utilizando colores oscuros para los pliegues más profundos, que contribuyen a dar volumen a su cuerpo. Después, dibuje los motivos rojos de la tela y observe cómo se rompe su regularidad por los pliegues o los contornos.

5▶ Utilice un pastel azul oscuro y carboncillo para las zonas de la tela en que las sombras son más intensas. Esto hará que la tela transmita una sensación de intensidad y profundidad.

6▶ Dibuje los detalles más delicados de la figura con un lápiz pastel, una versión ligeramente más dura de un pastel suave con el formato de un lápiz. Esto le permitirá trabajar con mayor precisión sobre zonas más pequeñas como la cara, captar los brillos o enfatizar un rasgo en particular.

Mujer malaya con *sarong*
Este estudio de una figura humana, ricamente coloreado, proporciona una clara descripción visual de la naturaleza de las telas y el modo en que se pueden plasmar las formas del cuerpo humano. Los pasteles mezclados del sarong *ilustran cómo incide la luz sobre su cuerpo y le da forma, mientras que las capas de pasteles oscuros sobre el banco cubierto de tela crean el efecto de una tela más densa y gruesa que cae hasta el suelo.*

La forma de esta figura es simple, aunque suficientemente definida como para poder dibujar sobre ella las telas con caída.

La irregularidad de los dibujos rojos de la tela contribuye a identificar los contornos del cuerpo y los pliegues en la tela.

Las líneas gruesas de color oscuro se han utilizado para los pliegues más marcados de la ropa, mientras que los más claros reflejan la dirección de la fuente de luz intensa.

Sue Sareen

Materiales principales

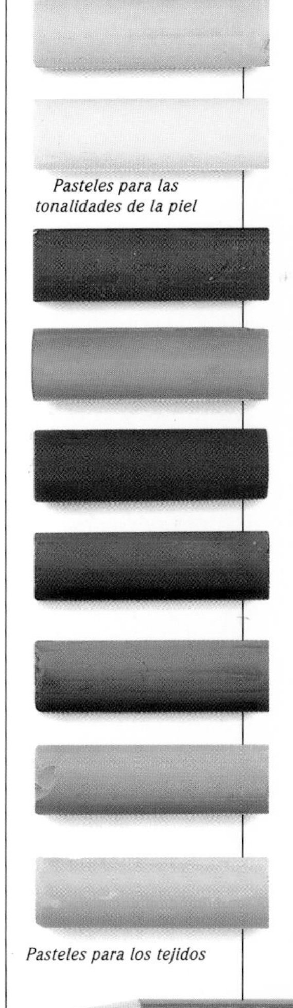

Pasteles para las tonalidades de la piel

Pasteles para los tejidos

Lápiz pastel

DIBUJO DEL NATURAL

SE CONSIDERA QUE el cuerpo humano contiene todos los elementos de volumen, complejidad visual y sutileza que un artista puede encontrar. Dibujar una figura humana con cierta regularidad le ayudará a mejorar su capacidad de observación y su habilidad, pero a menudo resulta difícil encontrar gente dispuesta a dedicar su tiempo a posar como modelos. Si se une a un grupo de dibujo del natural, podrá tomarse su tiempo para estudiar las figuras y recoger diferentes ideas a partir de la observación de otros artistas, además de aprender a poner atención a las proporciones anatómicas del cuerpo humano. Asimismo, le permitirá reflejar con libertad un estado de ánimo según sea la forma en que un modelo se sienta o permanece de pie, o destacar alguna característica peculiar de su personalidad.

Los trazos anchos de tinta dan una impresión de sombra.

Pose de cinco minutos
Este estudio decisivo y elocuente de la espalda de una mujer muestra cómo unas cuantas líneas expresivas y un mínimo de detalles pueden crear una imagen convincente. El estudio fue dibujado con un pincel chino y tinta, medio que permite un estilo lírico aunque controlado.

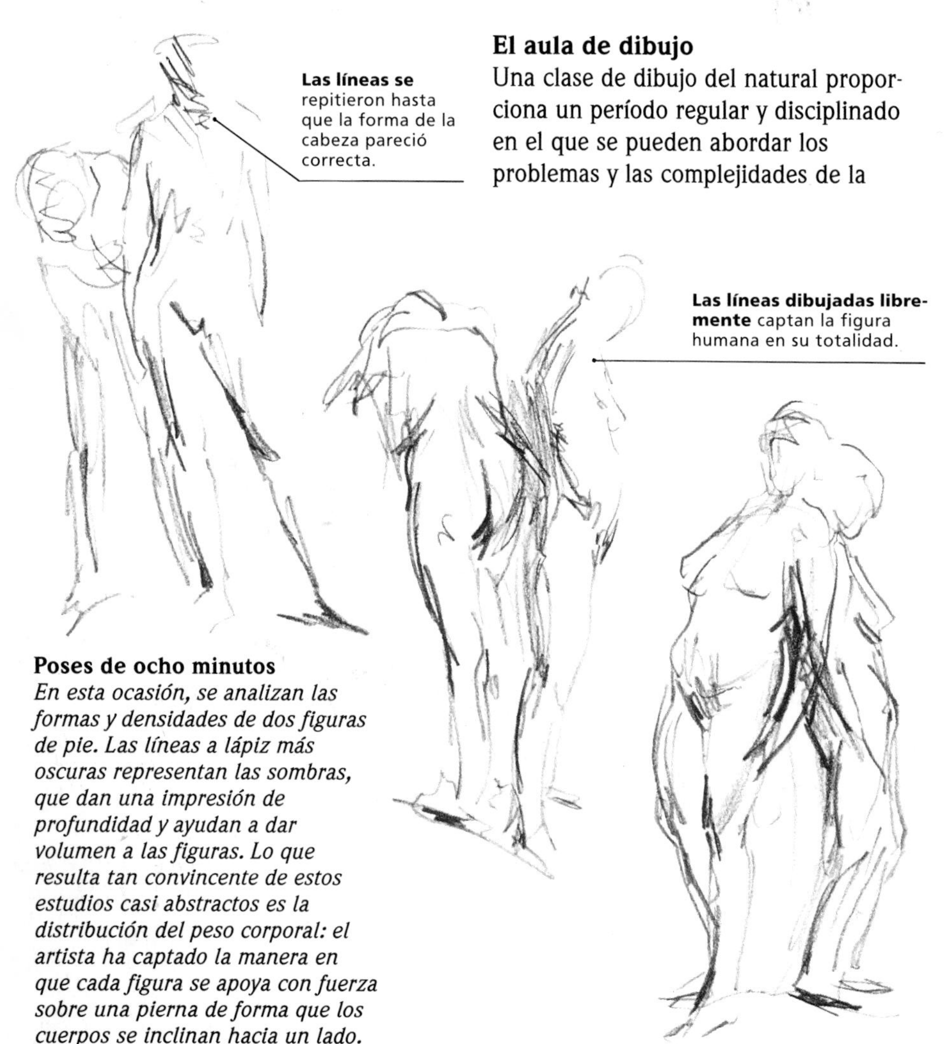

Las líneas se repitieron hasta que la forma de la cabeza pareció correcta.

Las líneas dibujadas libremente captan la figura humana en su totalidad.

Poses de ocho minutos
En esta ocasión, se analizan las formas y densidades de dos figuras de pie. Las líneas a lápiz más oscuras representan las sombras, que dan una impresión de profundidad y ayudan a dar volumen a las figuras. Lo que resulta tan convincente de estos estudios casi abstractos es la distribución del peso corporal: el artista ha captado la manera en que cada figura se apoya con fuerza sobre una pierna de forma que los cuerpos se inclinan hacia un lado.

El aula de dibujo

Una clase de dibujo del natural proporciona un período regular y disciplinado en el que se pueden abordar los problemas y las complejidades de la figura humana. Para llegar a conocer los diferentes aspectos de un modelo resulta útil comenzar con una serie de ejercicios que pongan a prueba su capacidad de observación más que su habilidad para dibujar una figura animada.

Al pedir a un modelo que realice una serie de poses cronometradas, desde cinco minutos hasta varias horas, puede desarrollar una gama de estrategias y enfoques con los cuales analizar e interpretar la figura humana. Los dibujos de cinco minutos o menos requieren un estilo muy ligero y gestual: debe captar la esencia de la postura del modelo, buscando con cuidado las formas más intensas y sintetizándolas hasta formar una imagen impresionista. El aspecto más importante de este ejercicio es dibujar la figura humana en su totalidad, y no perder el tiempo concentrándose en detalles sin importancia.

Las poses de diez a quince minutos aún exigen una cierta velocidad, pero le permiten desarrollar su estilo un poco más allá de lo puramente gestual. Tómese un tiempo extra para buscar los ángulos dinámicos y los planos del cuerpo. Busque también la forma en que la posición del modelo afecta a la distribución de peso en todo el cuerpo, esté de pie o sentado; utilice una plomada, si es necesario, para determinar la inclinación de la figura en relación a una línea vertical. Con las poses de corta duración es importante avanzar el dibujo hasta donde lo permita el tiempo sin profundizar en características individuales.

Si dispone de entre treinta minutos y una hora para dibujar una figura, tendrá la oportunidad de detallar algunos aspectos más intrincados del modelo y de estudiar la forma del cuerpo con precisión. Trabaje con una serie de tonos con sombras sólidas o tramas cruzadas o simples para dar al cuerpo una sensación de profundidad y volumen.

Con poses de dos horas o más, el proceso es diferente. Las proporciones del cuerpo son más significativas, por lo que debe utilizar la cabeza como unidad básica de medida. El cuerpo debe ser aproximadamente siete veces y media mayor que la cabeza. Piense también en la fuente de luz: los efectos de realce o distorsión creados por la luz al ser proyectada desde diferentes ángulos pueden crear un estudio fascinante. Busque las sombras proyectadas sobre el cuerpo, cómo ciertas partes del cuerpo quedan oscuras mientras algunos músculos o rasgos reciben una intensa luz. La descripción del decorado de la escena le ayudará a situar a la figura en un contexto más realista.

Pose de una hora
En este caso, la luz que incide sobre la espalda ilumina algunos de los muchos planos y facetas del cuerpo humano. Dibuje alguna de las curvas y depresiones causadas por los músculos y huesos bajo la piel, ya que aumentan el interés del estudio. Aunque el sombreado se haya ejecutado toscamente, el efecto logrado es muy realista.

El contraste entre las luces y las sombras proporciona atmósfera a este dibujo.

Pose de dos horas
Al disponer de mayor tiempo para estudiar al modelo, el artista ha profundizado en el estado de ánimo de este hombre y ha creado un ambiente melancólico y de contemplación. La amplia gama de tonos logrados con carboncillo dan solidez a la figura, mientras que el peso del cuerpo se proyecta hacia abajo para dar una fuerte sensación de gravedad.

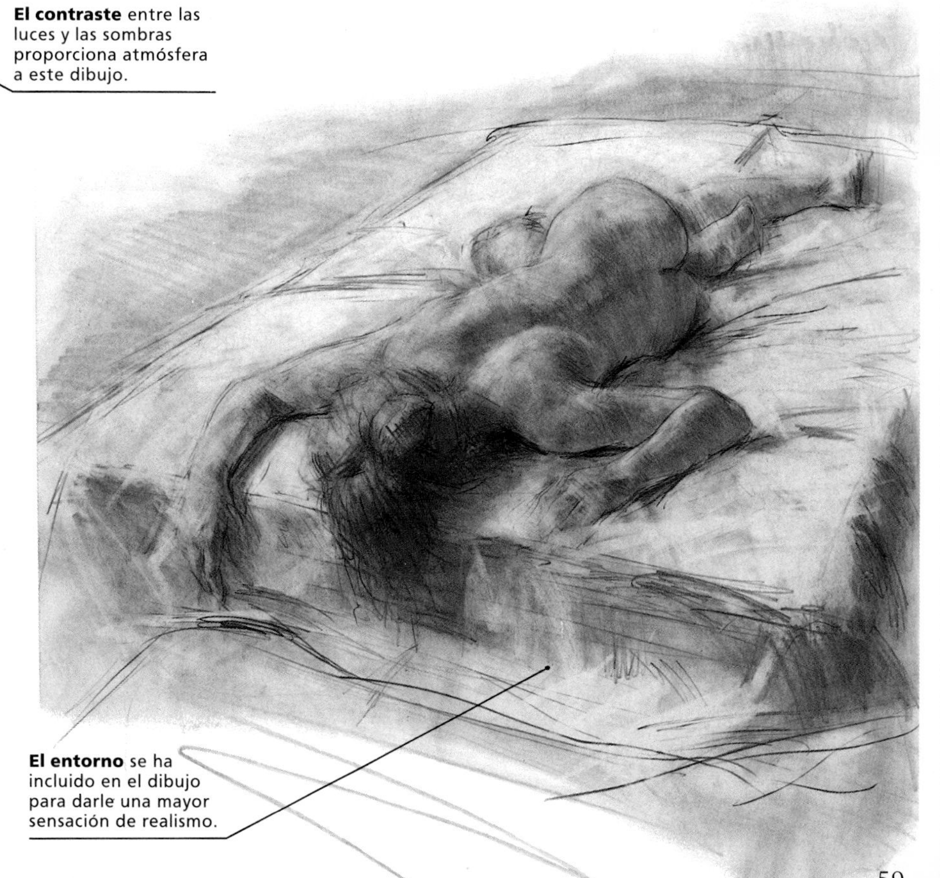

El entorno se ha incluido en el dibujo para darle una mayor sensación de realismo.

Pose de cuatro horas
Una mezcla sutil y una fuerte perspectiva dan a este dibujo un aire de sensualidad, aunque controlado. El artista se ha tomado su tiempo para modelar la figura; ha escogido los brillos con cuidado para que la impresión final sea la de una mujer bañada por una luz solar difusa. El tratamiento de la cama y los brillos producidos con una goma de borrar dan mayor suavidad a la escena.

RETRATOS

LA NECESIDAD DE REPRESENTAR las características individuales de una persona distingue a los retratos de cualquier otro tipo de dibujos de figuras. La mejor técnica para dibujar un retrato consiste en estudiar la construcción y forma de la cabeza, fijándose en los rasgos particulares y su relación con respecto a la cara. Quizá desee experimentar con la luz para crear una atmósfera determinada, o reflejar el estado de ánimo del modelo; estos efectos poco habituales le ayudarán a observar a su modelo de un modo diferente. Si necesita practicar, intente dibujar su autorretrato para que pueda trabajar según le apetezca.

Captar un estado de ánimo
A menudo el medio empleado refleja el humor del modelo. Un dibujo vigoroso y denso en carboncillo puede implicar un aire enfadado o desafiante; un dibujo a lápiz le permitirá dar dimensión al retrato por medio de una gama de tonos, mientras que un delicado dibujo a pluma y tinta puede captar los más sutiles matices del carácter de una persona.

Iluminación
La iluminación puede afectar radicalmente al aspecto de un individuo. Una luz intensa sobre la cara no hará destacar los rasgos y le dará pocas posibilidades para explorar la profundidad de la cabeza. Una luz que incide sobre un lado da pie a un estudio más interesante, pero si quiere exagerar la personalidad del modelo, o crear un efecto diferente, intente proyectar la luz desde abajo.

Proporciones
Para dibujar con éxito un retrato, debe ser capaz de producir una imagen sólida y natural de una cabeza con rasgos reconocibles que identifiquen al modelo. Trabaje la simetría de la cara dividiéndola someramente en tres partes iguales. La parte superior va desde la coronilla hasta las cejas; la central desde las cejas hasta la nariz, y la inferior desde la punta de la nariz hasta la barbilla. Dibuje los ojos separados aproximadamente por una distancia igual a la longitud de uno de ellos y mida el triángulo que forman con la punta de la nariz, ya que estos son rasgos importantes que definen la forma particular de la cara con gran exactitud.

Autorretrato

Los autorretratos son una buena forma de practicar el dibujo de los rasgos humanos, aunque a menudo reflejan una mirada algo extraña como resultado de mirarse a sí mismo en el espejo. Seleccione los rasgos más esenciales e interesantes al dibujar: si intenta captar todos los detalles puede acabar con un dibujo excesivamente trabajado.

1 ▶ Coloque un espejo en un lugar conveniente para que pueda observarse fácilmente y, si es posible, donde la luz proyecte sombras para obtener un efecto interesante. Trace la forma de la cabeza y sus rasgos con lápiz sobre una hoja grande de papel texturado, haciendo el dibujo lo más grande posible.

2 ▲ Dé forma a las zonas principales de la cara y el cabello con pasteles al óleo, aplicando cada color suavemente para cubrir el papel. Los pasteles al óleo dan un efecto rico y de gran colorido, y se adhieren fácilmente al papel. Utilice un trapo empapado en trementina para borrar los errores o los colores que quiera cambiar.

Karen Raney

Los amarillos y naranjas se han usado para las luces cálidas, y los malvas y grises fríos para las zonas en sombra.

Los trazos de pastel se han aplicado en capas para crear una mezcla óptica de color.

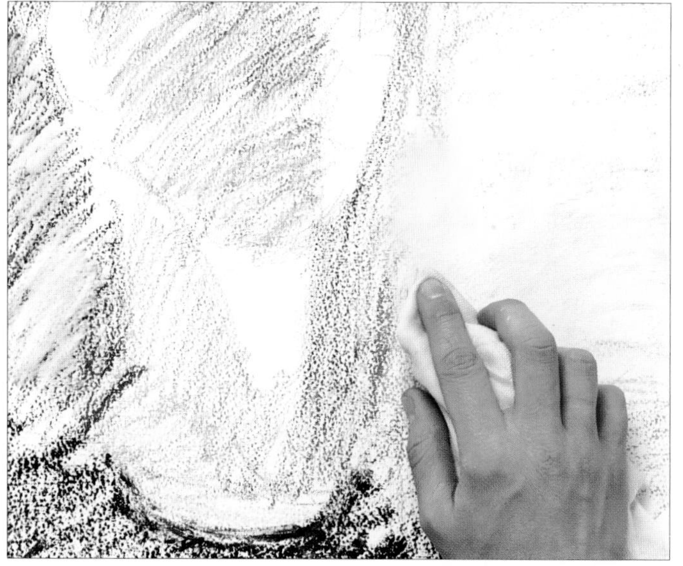

3 ▲ Utilice un dedo o un trapo para mezclar los trazos de pastel si quiere dar una textura más suave a alguna zona de la piel. Asegúrese de que los pasteles son blandos para que pueda mezclarlos fácilmente sobre el papel.

Estudio para un autorretrato
Los pasteles al óleo dan a este autorretrato un efecto más rico y profundo que el característico de los pasteles ordinarios. La discreta transparencia de los pasteles al óleo permite que las distintas capas de colores superpuestos se mezclen ópticamente. El tamaño del papel es importante, ya que da a la artista confianza para dibujar vigorosamente y captar los fuertes efectos de la luz proyectada sobre un lado de su cara.

Materiales principales

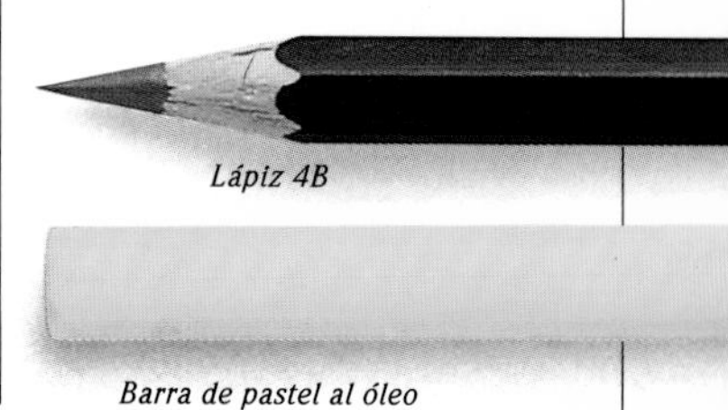

Lápiz 4B

Barra de pastel al óleo

FIGURAS EN UN DECORADO

Describa el fondo con sólo algunas líneas sugestivas

NO ES HABITUAL ver a los modelos aislados —habitualmente se sitúan contra un fondo, sea en el interior o el exterior. Invariablemente este fondo es un elemento significativo en un dibujo, pero lo más importante que cabe recordar es que siempre se debe relacionar a las figuras con su entorno. La interacción entre ambos debe ser organizada cuidadosamente en una composición para dar una fuerte sensación de profundidad y crear una serie de relaciones espaciales. Intente no incluir demasiados detalles en el fondo para que el énfasis del dibujo permanezca centrado en las figuras.

Establecer un punto focal
El ojo humano es similar a la lente de una cámara y no puede enfocar todo a la vez, por lo que debe trabajar sistemáticamente para establecer, en primer lugar, la figura del punto focal y, después, pasar a desarrollar la escena del fondo.

1 ▶ Esboce ligeramente la figura a lápiz sobre un papel para acuarela, tintado y semirrugoso. Después dibuje la fuente y los detalles más prominentes de los edificios. Una vez que haya dibujado correctamente todas las proporciones, vuelva a la figura y retoque la imagen.

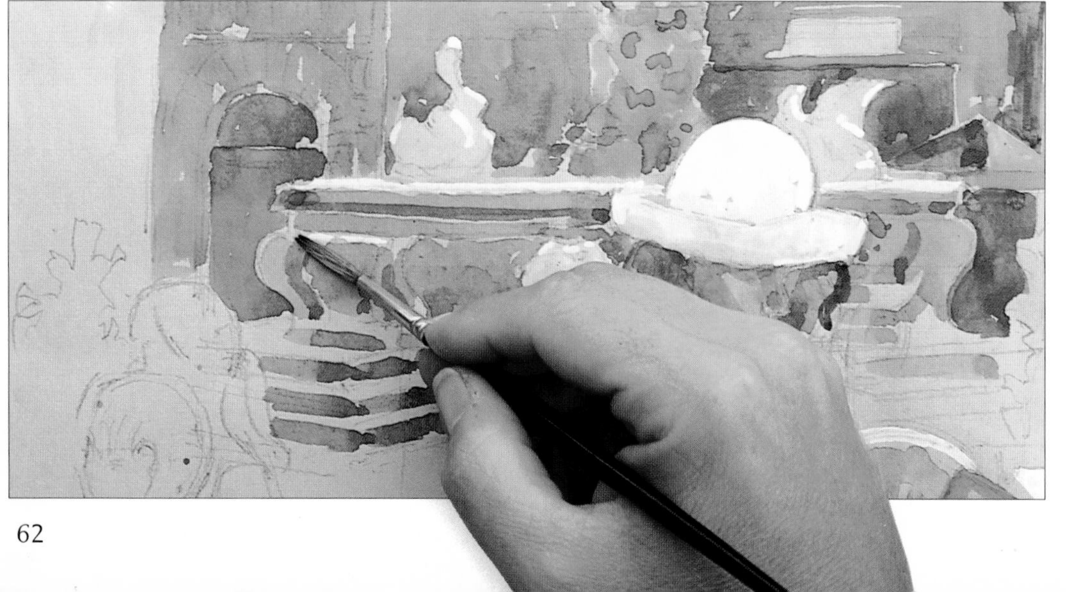

2 ◀ Ya que esta escena de café se sitúa en el exterior, en una plaza, la calidad de la luz es mucho más fuerte, produciendo sombras oscuras y cortas y con brillos intensos. Mezcle algunas aguadas de acuarela en tonos fríos para la fuente y los edificios que están en la sombra y aplíquelas con un pincel de marta pequeño.

3 ▶ Represente la forma en que la luz define el volumen de esta figura con aguadas oscuras y transparentes para las sombras y gouache blanco para los brillos. El gouache blanco es esencial para describir las luces intensas y los colores pálidos si se trabaja con papel tintado. Redefina los detalles como, por ejemplo, el sombrero, con un lápiz. Estas sutiles líneas darán una mayor sensación de forma y volumen y contribuirán a proyectar a la figura hacia el primer plano.

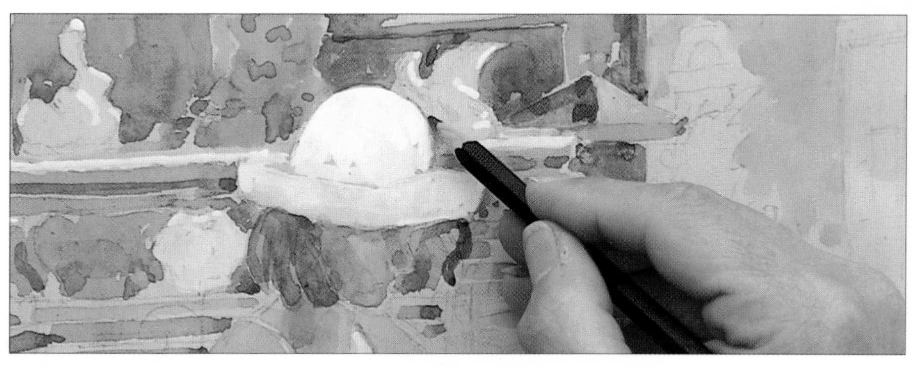

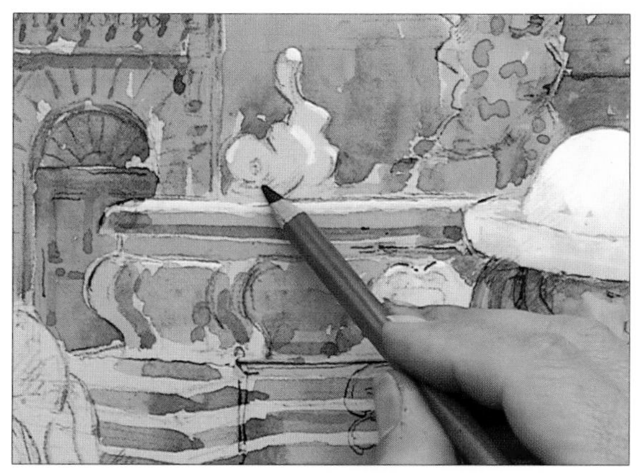

4 ▲ Utilice un lápiz de carboncillo para sombrear, delicadamente, los pequeños detalles como el relieve en piedra de la fuente. La forma refinada del carboncillo mantiene la calidad oscura y pesada del medio, mientras que el formato de lápiz le permite lograr un mayor grado de control y precisión.

5 ◀ Utilice una pluma de inmersión y tinta negra para dibujar los detalles finales; repase todas las marcas a lápiz que pudieran haber quedado cubiertas por las aguadas de color.

Materiales

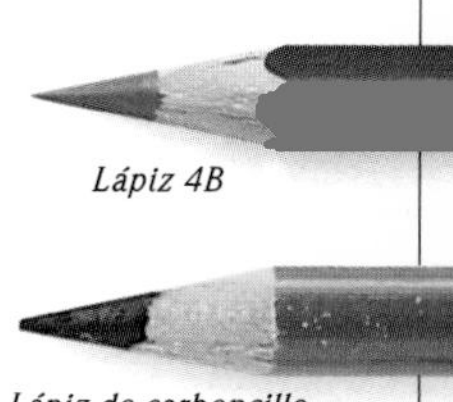

Lápiz 4B

Lápiz de carboncillo

Pincel de marta del nº 4

Pluma de inmersión

Plaza de la ciudad
Esta figura y el conjunto detrás de ella se complementan y equilibran entre sí; la figura se mezcla con la escena aunque, al mismo tiempo, permanece destacada como centro de interés. La escala del fondo también se relaciona proporcionalmente con la figura, y la luz que inunda toda la escena da unidad a todos los detalles en una serie de fuertes contrastes tonales.

La forma del sombrero de la chica supone un elemento interesante que se recorta contra la fuente del fondo.

La fuerte sensación de perspectiva da la impresión de que existe un gran espacio entre la figura y la fuente.

James Horton

Los reflejos opacos se utilizan para dar la sensación de luz cálida y brillante, mientras que los tonos oscuros y transparentes describen las sombras cortas de primeras horas de la tarde.

Nuestra atención se dirige en primer lugar hacia la chica y, después, a las diferentes figuras del fondo.

GALERÍA DE FIGURAS

LAS FIGURAS HUMANAS siempre han sido un tema fascinante para los artistas; no en vano, casi todos somos conscientes de ello, e incluso nos intrigan las personas que nos rodean y la forma en que se mueven o actúan. Para dibujar una figura humana correctamente, entendiendo al modelo, no sólo debe captar las proporciones correctas y su volumen, sino el carácter del individuo. Detalles que se observan diariamente sólo a nivel del subconsciente, como el color de los ojos o la forma de vestir, pueden exagerarse deliberadamente en un dibujo para transformar la personalidad de una figura y realzar su carácter. Lo que todos estos artistas han logrado en su trabajo es un retrato convincente de la vida humana, caracterizando a cada individuo de manera concisa.

Rubens, *Estudio de un hombre crucificado*, h. 1614-1615, *53 × 37 cm*
Este trabajo en tiza marrón es uno de los muchos estudios que Rubens solía realizar como preparación para un cuadro. En esta ocasión, Rubens utilizó el dibujo para familiarizarse con todos los aspectos del torso de este hombre, plasmando las complejidades del cuerpo humano con una sutileza sorprendente. Describió los contornos del cuerpo y los músculos del pecho con líneas precisas pero evocadoras. El uso de la tiza marrón fue, en realidad, bastante parco, aunque el tono del papel y los reflejos en tiza blanca generan una fuerte sensación de solidez.

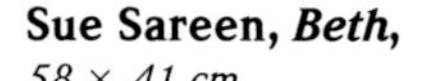

Sue Sareen, *Beth*,
58 × 41 cm
Este retrato muestra el carácter del modelo con gran sensibilidad. Aunque no ha realizado un estudio particularmente detallado, la artista ha reflejado la personalidad de esta mujer con acierto y a través de pequeños detalles como la postura del cuerpo o la posición de sus pies. El color refuerza la imagen dibujada con un estilo bastante suelto y acentúa la posición hundida de la modelo en la silla.

Diana Armfield, *Leyendo el menú en Fortnum, Londres,*
44 × 27 cm
En este dibujo al pastel, la artista ha creado una composición muy lograda, de forma que el centro de atención es realmente el grupo de figuras que se encuentra a una distancia media, a pesar del espacioso primer plano. La falta de detalles acabados en este último ayuda a dirigir la mirada directamente hacia las mesas con los clientes sentados, que parecen más importantes de lo que son en realidad. Aunque estas figuras son relativamente pequeñas, sus movimientos se han descrito minuciosamente e incluso se aprecia una ligera alusión a sus caracteres. Lo que resulta más interesante es que parecen formar parte del entorno, con lo que el trabajo adquiere una fuerte unidad.

Norman Blamey, *San Andrés, pescador de hombres,*
36 × 23 cm
Este trabajo es un estudio para un mural, y el dibujo ha sido cuadriculado para ser transferido a la pared. El aspecto más notable de la obra es el punto de mira elevado que ha elegido el artista. El rápido descenso hacia el pie, y los brazos que parecen ser demasiado largos para el cuerpo, son consecuencia de un gran escorzo de la figura. Nuevamente, Blamey ha explorado y estudiado con atención su modelo para crear un dibujo altamente fascinante.

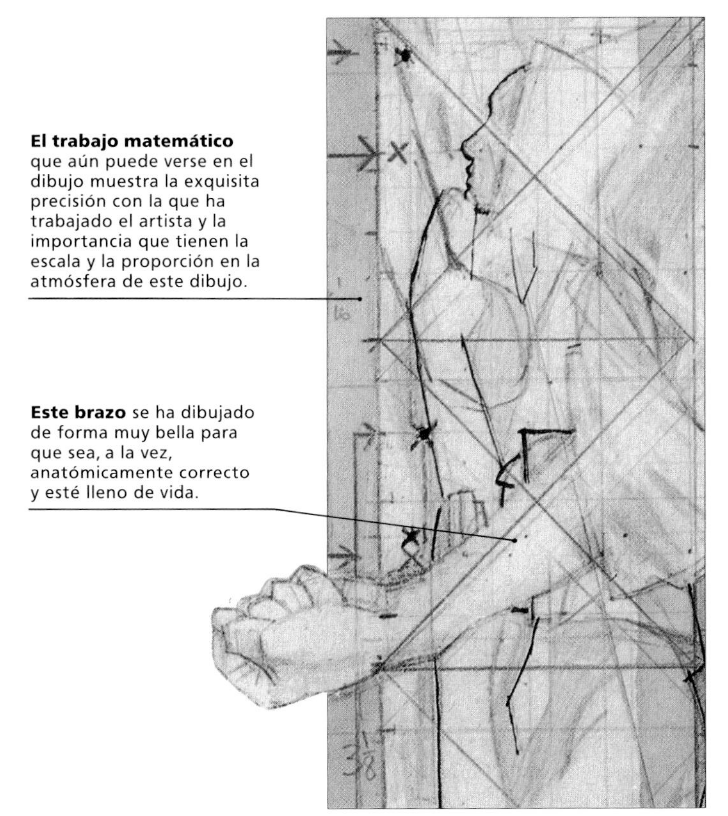

El trabajo matemático que aún puede verse en el dibujo muestra la exquisita precisión con la que ha trabajado el artista y la importancia que tienen la escala y la proporción en la atmósfera de este dibujo.

Este brazo se ha dibujado de forma muy bella para que sea, a la vez, anatómicamente correcto y esté lleno de vida.

MOVIMIENTOS Y GESTOS

UNA VEZ HAYA ADQUIRIDO la suficiente confianza para dibujar personas que posan para usted en un entorno dado, intente dibujar una escena llena de movimiento y vitalidad. Este tipo de tema requiere un enfoque diferente: debe ser capaz de memorizar una cierta cantidad de información cada vez que deje de observar la escena, ya que ésta cambiará constantemente. El proceso se basa en aprender a evaluar una imagen fluctuante y sintetizada antes de comenzar a dibujar. Los bailarines y los animales son modelos ideales para comenzar en este campo, ya que a menudo repiten movimientos o gestos, pero intente adoptar un estilo ágil de manera que pueda captar rápidamente la esencia de una imagen. Trabajando de esta forma, sus dibujos tendrán una frescura y una inmediatez difícil de lograr en una situación más controlada.

Sugerir el movimiento
La velocidad a la que debe dibujar una imagen en movimiento implica que debe tener destreza al plasmar un dato y crear pautas con un mínimo de sombras y marcas lineales. Los mejores medios para estos trabajos rápidos son los que le permiten cubrir el papel rápidamente, como las acuarelas o los pasteles.

Estudie a animales como tigres y leones, y fíjese cómo se mueven.

Los bailarines, con su habilidad para moverse con gracia y fuerza, constituyen unos modelos fascinantes.

1 ▶ Elija un papel Ingres tintado en un tono azul intenso y capte esta escena nocturna en un balcón, tan rápidamente como le sea posible, con carboncillo; retrabaje las líneas de forma rápida y repetitiva hasta estar satisfecho con la posición de las figuras.

2 ▲ Dado que esta escena está llena de movimiento e impresiones fugaces, utilice su imaginación para seleccionar colores interesantes. Destaque las áreas iluminadas por la luz con un tono pastel brillante de color amarillo naranja y coloree el fondo con azules y púrpuras ricos y densos.

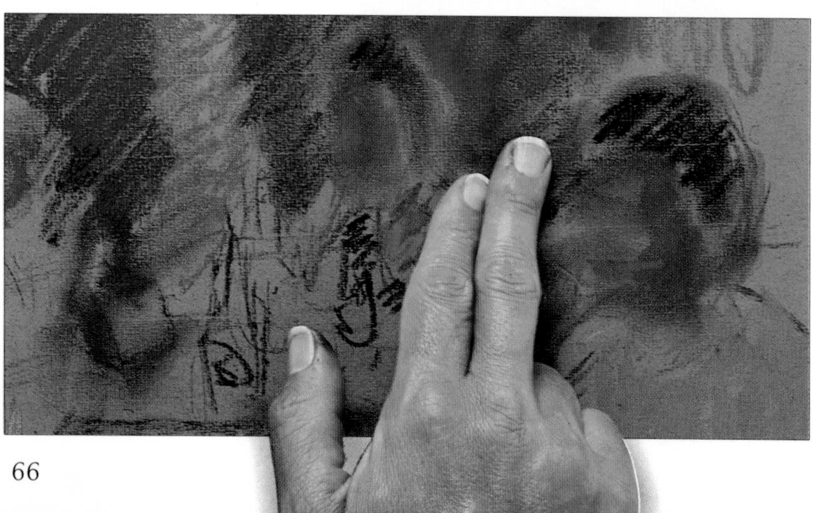

3 ◀ Para dar una sensación más impresionista y difuminada al fondo, mezcle los pasteles azules y púrpuras emborronándolos suavemente con los dedos alrededor de cada figura. Recuerde lavarse las manos después para evitar ensuciar el dibujo.

4 ◀ Recree el volumen de las figuras sentadas con una serie de tonalidades oscuras, utilizando carboncillo para redefinir los contornos contra el fondo. Intente captar la postura de los cinco comensales —aunque estén apoyando los codos sobre la mesa, o reclinados sobre el apoyabrazos de la silla— antes de intentar discernir las expresiones faciales o detalles pequeños.

Materiales principales

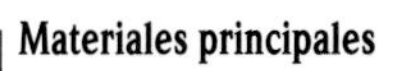

Carboncillo

Selección de colores pastel

5 ▲ Dado que todas estas figuras están enfrentadas alrededor de una mesa, deben estar unidas por un punto de interés que dé unidad a la composición. La intensa luz de las velas en el centro de la mesa lo proporciona: utilice un color pastel suave y brillante para delinear las vacilantes llamas.

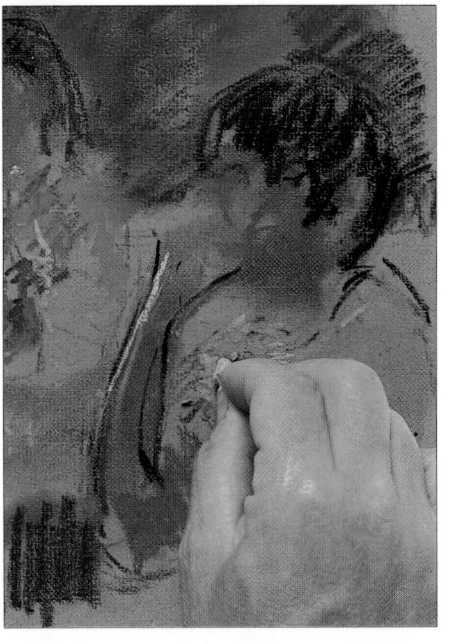

6 ◀ Una vez que haya dibujado la fuente principal de luz, utilice una combinación de verde claro, rojo cálido y amarillo intenso para marcar, con líneas cruzadas aleatorias, los suaves brillos que se producen sobre cada figura.

Cena en un balcón
Esta escena nocturna está llena de impresiones fugaces y movimientos insinuados. Únicamente se han plasmado los hechos esenciales, con una serie de líneas gestuales basadas en unas cuantas observaciones y una buena memoria visual. La falta de atención a los detalles da a este estudio impresionista un ritmo cambiante y una fuerte sensación de masa.

Los brillos suaves ayudan a modelar la forma de cada figura.

James Horton

DIBUJAR PARA PINTAR

Análisis del sujeto
En este estudio a carboncillo, el artista John Ward ha analizado la anatomía de esta figura en profundidad para describirla perfectamente en «El vestido de Zandra Rhodes» (derecha).

HISTÓRICAMENTE, LA MAYORÍA de los dibujos de los artistas se empleaban únicamente como estudios para pinturas posteriores. Eran un medio para lograr un fin, más que un fin por sí mismos. Aunque ahora el dibujo tiene un nivel de consideración más alto y se acepta como forma artística por derecho propio, los dibujos se emplean aún hoy, muy a menudo, como estudio preparatorio para otros trabajos. Un dibujo o una serie de dibujos pueden ayudarle a familiarizarse con su tema mediante la investigación de, por ejemplo, los juegos de luz, y a asimilar toda esta información para tener una referencia visual precisa en el momento de pintar. También puede combinar varios dibujos preparatorios en un solo cuadro haciendo estudios individuales y reuniéndolos en una única composición.

Ordenar la información

La realización de dibujos preparatorios para un cuadro es un método recomendable para contrastar ideas imaginativas y observar cómo quedan sobre el papel antes de plasmarlas sobre la tela. Las imágenes que aparecen en el margen inferior de la página son una mezcla de bocetos y dibujos detallados creados en distintos momentos. Al reducir la escala de las figuras y colocarlas en diferentes partes de la habitación, puede decidir dónde situarlas para lograr una relación más armoniosa. Si incluye varios dibujos separados en una misma composición, puede evitar que parezcan superpuestos por medio de pequeños y sutiles ajustes tonales.

Figura de pie
Las figuras deben estar en relación con su entorno, por lo que esta imagen debe reducirse al tamaño adecuado para que quede bien en el interior.

Estudio de un interior
Los detalles esenciales de esta escena y la luz que entra por la ventana proporcionan una buena referencia visual para un cuadro.

Joven sentada en una ventana
En este estudio a pluma y aguada, la luz incide sobre la figura en la misma dirección que sobre la figura que está en pie. Esto crea una relación correcta entre ambas.

Crear una composición

1 ◀ Comience por copiar los contornos básicos del estudio del interior sobre papel vegetal con un lápiz blando; cree un boceto simple pero bien definido. Sujete el papel vegetal con cinta de enmascarar para evitar que se mueva.

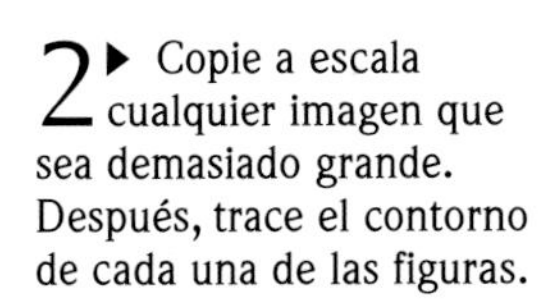

2 ▶ Copie a escala cualquier imagen que sea demasiado grande. Después, trace el contorno de cada una de las figuras.

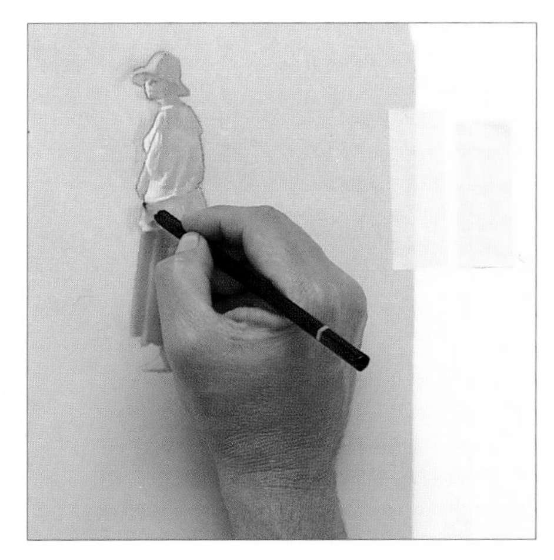

3 ▶ Coloque el papel vegetal con la figura de pie sobre la acuarela del estudio original del interior; desplácelo hasta conseguir la composición adecuada.

4 ◀ Transfiera todos los trazos al papel, ya sea sombreando intensamente la cara opuesta del papel vegetal, ya sea volviendo a dibujar la imagen o utilizando papel carbón.

5 ▲ Una vez que haya dibujado todas las imágenes, añada los elementos restantes y todos los detalles para obtener una escena completa que pueda ser transferida al lienzo.

James Horton

Establecer una escena
El artista ha colocado con gran acierto estas dos figuras en una composición con fuerza para preparar un cuadro detallado. Se ha copiado cada figura a escala, con precisión, acorde a las proporciones del interior.

Se ha colocado cada figura en una parte conveniente del decorado.

Se ha incluido la información más relevante para dar claridad e interés a la composición.

Materiales

Lápiz 6B

Papel vegetal

Cinta de enmascarar

GLOSARIO

ABSORBENCIA Facilidad con la cual el papel absorbe la pintura, debida a menudo al grado de apresto de la superficie.

ACUARELA Pintura de secado rápido fabricada a partir de pigmentos molidos y un medio aglutinante soluble en agua, como la goma arábiga. El medio se caracteriza por su luminosidad.

AGLUTINANTE Sustancia que mantiene unidas las partículas de pigmento y las adhiere a la superficie. La goma soluble en agua se emplea para los pasteles blandos, la cera de los lápices de cera y el aceite de los pasteles al óleo.

AGUADA Capa de color, a menudo de tono uniforme, que se aplica sobre el papel con un pincel.

BARRAS DE GRAFITO Barra gruesa de grafito utilizada para los trabajos a gran escala; se fija en un soporte especial y no se recubre de madera.

BORRADOR Herramienta para eliminar, entre otros, trazos de lápiz. En el pasado los artistas utilizaban trozos de pan o plumas. Más recientemente los artistas han utilizado las gomas de borrar convencionales de goma, las moldeables o las especiales para dibujo, aunque las nuevas gomas de plástico son extremadamente limpias y versátiles.

BRILLOS Tonalidad más clara en un dibujo.

CABALLETE Soporte para sujetar un dibujo mientras el artista trabaja sobre él. Los artistas que trabajan en exteriores tienden a utilizar caballetes de construcción ligera. Un buen caballete permite mantener fijo y seguro el dibujo en cualquier posición, horizontal o vertical.

CARBONCILLO Ramitas de sauce, vid u otros vegetales parcialmente quemados y carbonizados en contenedores al vacío.

COLOR CON CUERPO También llamado gouache. Es un tipo de pintura a la acuarela caracterizado por su opacidad.

COLOR OPACO *Véase* color con cuerpo.

ELIPSE Círculo cuya altura aparente parece disminuir conforme se inclina, alejándose de la vista del espectador.

ESGRAFIADO Técnica que habitualmente emplea un escalpelo o cuchillo afilado, por la cual la pintura seca se elimina de la superficie pintada. A menudo se emplea como efecto texturado.

FIJADOR Resina mezclada con disolvente que se pulveriza sobre un dibujo para fijar las partículas al soporte.

GRANULADO Efecto de moteado que originan los pigmentos densos y gruesos al asentarse en los huecos del papel.

LÁPICES DE COLORES Útil a base de cera con el formato de un lápiz y disponible en una amplia selección de colores.

LÁPIZ CONTÉ Pastel a base de tiza con una parte cuadrada, de textura intermedia entre los pasteles blandos y los duros. Se venden en una gama de hasta ochenta colores.

LÁPIZ DE GRAFITO Los lápices estándar se fabrican a partir de una mezcla de grafito y arcilla envuelta en madera. La mezcla se quema inicialmente y después se impregna con cera fundida. La proporción de grafito y arcilla es variable y determina la dureza o suavidad del lápiz. El grafito tiene un brillo «plateado» o metálico si se usa en forma densa.

LEVANTAR EL COLOR Modificar el color y crear brillos retirando el color del papel con una goma o una esponja.

MARCO VISUALIZADOR O VISOR Dos trozos de cartulina en forma de *L* que sirven para enmarcar. Habitualmente se sujeta a un brazo de distancia y se mira a través de él la escena a dibujar.

MARTA Pelo de la cola de la marta cibelina empleado en la fabricación de pinceles para acuarela.

MEDIR CON LA VISTA O «A OJO» Medida del tamaño de un objeto distante tal como se ve, y que se transfiere exactamente al papel.

MEZCLA Degradado suave de un color o tono a otro utilizando un difumino o un dedo para emborronar los colores entre sí.

MEZCLA ÓPTICA Cuando se obtiene un color por medio del efecto visual de sobreponer distintos colores, en lugar de mezclarlos físicamente sobre la paleta.

MODELADO Descripción del volumen de un objeto sólido utilizando un sombreado sólido o trazos lineales.

MONOCROMÁTICO Dibujo o pintura en un solo color.

Estudio en acuarela

Pluma de inmersión

Lápiz de grafito

Pincel de marta

Lápiz soluble en agua

Lápiz de carboncillo

Tinta de color sepia

PAPEL LIBRE DE ÁCIDO Papel con un PH neutro que no se oscurecerá excesivamente con el tiempo (a diferencia de la pulpa de madera blanqueada con ácido).

PAPEL PRENSADO EN CALIENTE Papel con una superficie muy lisa.

PAPEL PRENSADO EN FRÍO Papel con una superficie semirrugosa.

PASTEL BLANDO Forma original y más común de pastel. La débil solución de goma empleada en su fabricación asegura una textura muy blanda.

PASTELES AL ÓLEO Pastel aglutinado con aceite en lugar de goma. El aceite da a este tipo de pasteles una ligera transparencia y una fuerte adherencia al soporte. La gama de colores disponible es menos extensa que la de los pasteles blandos.

PERSPECTIVA AÉREA Efecto de las condiciones atmosféricas sobre nuestra percepción de la tonalidad y el color de los objetos distantes. Conforme los objetos retroceden hacia el horizonte, parecen ser de una tonalidad más clara y más azulada.

PERSPECTIVA LINEAL Método que consiste en representar objetos en tres dimensiones sobre una superficie bidimensional. La perspectiva lineal hace que los objetos parezcan más pequeños a medida que se alejan, por medio de un sistema geométrico de medida.

PESO El papel para acuarela se mide en gramos por metro cuadrado. Se obtiene en una gran gama de pesos, aunque los más habituales, fabricados a máquina, son de 190, 300, 360 y 640 gramos por metro cuadrado. Generalmente los papeles más pesados, de 360 gramos por metro cuadrado o más, no necesitan ser tensados.

PLUMA TÉCNICA O PARA DIBUJO TÉCNICO Innovación relativamente reciente en la cual la punta de la pluma es dura, no flexible, y está diseñada para proporcionar una línea con anchura constante independientemente de la presión aplicada sobre ella.

PLUMEADO Aplicación de marcas casi paralelas, a menudo sobre una zona previamente coloreada, para modificar la intensidad de un color o de un tono.

PUNTA DE PLATA Método de dibujo que consiste en arrastrar un trozo fino de plata sobre una hoja de papel preparado para ese fin: la acuarela de color blanco de China proporciona una superficie mate sobre la que se adhieren las minúsculas partículas de plata.

PUNTEADO Método de dibujo por el que se aplican pequeños puntos de color, cercanos entre sí, para crear un tono.

RESERVA DE CERA Proceso por el cual se emplean lápices de cera para proteger zonas del papel al aplicar acuarela.

SOMBREADO Con frecuencia se refiere a la forma en que se representan las sombras en un dibujo; se relaciona invariablemente con el tono.

SOMBREADO EN BRAZALETE Forma de sombreado en la cual las líneas en semicírculo se copian repetidamente una junto a la otra.

SUPERFICIE Textura del papel. En los papeles occidentales —al contrario de los orientales—, los tres grados habituales de papel son rugoso, semirrugoso (prensado en frío) y liso (prensado en caliente).

TINTA DE AGALLAS DE ROBLE Tinta que se obtiene al moler y hervir agallas de roble. Las agallas se forman por la acción de insectos parásitos de los robles y tienden a aparecer en otoño.

TONALIDAD Grado de luz reflejada por una superficie.

TONO Describe el color real de un objeto o sustancia, tal como aparecería sobre el círculo cromático.

TRAMADO Construcción de degradados tonales creando sombras a base de marcas paralelas finas.

TRAMADO CRUZADO Rayas paralelas superpuestas toscamente en ángulos rectos a otro conjunto de marcas paralelas.

Plomada

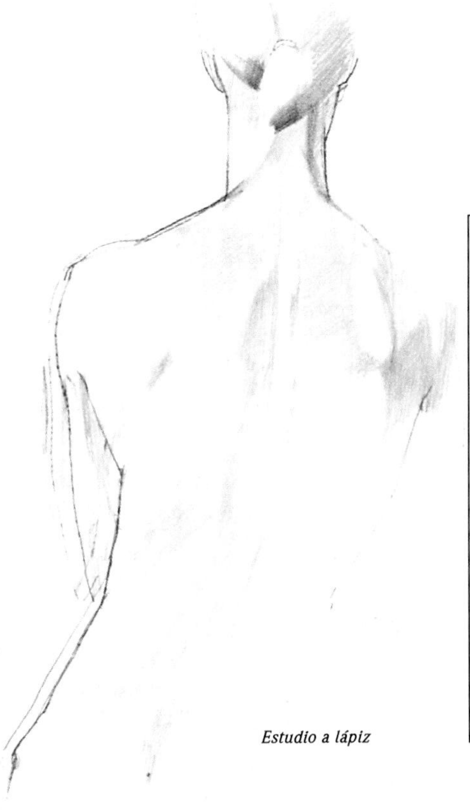

Estudio a lápiz

NOTA SOBRE LOS MATERIALES

- Evite utilizar colores de cromo cuando trabaje con acuarelas, ya que suponen un riesgo significativo para la salud. No hay riesgos con el resto de pigmentos, siempre y cuando se tomen las precauciones adecuadas y se evite humedecer con la lengua los pinceles que lleven pintura.

- Los pasteles blandos generan una gran cantidad de polvo, por lo que es recomendable no inhalar el pigmento siempre que sea posible. Si trabaja en el interior, asegúrese de que la habitación está bien ventilada.

- El tamaño de los pinceles indicado en este libro se refiere a pinceles de Winsor & Newton. Pueden variar ligeramente con respecto a otros fabricantes.

ÍNDICE

AGRADECIMIENTOS

Agradecimientos del autor
James Horton desea agradecer a todos los artistas que han colaborado en este libro, especialmente los que le han confiado sus dibujos. Gracias también a los fotógrafos del estudio de DK, cuya ayuda y naturaleza alegre convirtieron cada sesión fotográfica en un momento ameno. Gracias especialmente a Steve Gorton, a cuya paciencia y profesionalidad debemos el éxito de las sesiones fotográficas en la Toscana. Gracias también a todo el personal de DK que ha trabajado en este libro.

Créditos fotográficos
Clave: *s:* superior, *i:* inferior, *c:* centro, *iz:* izquierda, *d:* derecha, *ta:* trabajos artísticos, RAAL: Royal Academy of Arts Library

Guardas: Jane Gifford; *pág. 2:* John Ward, RA, RAAL; *págs. 6-7: ta* James Horton; *pág. 8 s* Pontormo, Uffizi, Florencia/Ikona; *i* Holbein, Staatliche Kunstsammlungen Dresde; *págs. 8-9: c* Canaletto, Courtauld Institute Galleries; *pág. 9: s* Brueghel, Hamburger Kunsthalle; *i* Rembrandt, Albertina Graphische Sammlung; *pág. 10: s* Constable, Victoria and Albert Museum/Bridgeman Art Library; *c* Delacroix, Louvre, París/Réunion des Musées Nationaux; *pág. 11: s* Degas, Tate Gallery, Londres; *iiz* Van Gogh, regalo de Miss Edith Wetmore, 1960-232-1, cortesía de Cooper-Hewitt, National Museum of Design, Smithsonian Institution/Art Resource, Nueva York; *id* Spencer, por cortesía de la National Portrait Gallery, Londres, © Estate of Stanley Spencer 1994 todos los derechos reservados DACS; *pág. 12:* Fouquet, New York Metropolitan Museum/ Visual Arts Library; *pág. 20: ta* James Horton; *pág. 22: s* Karen Raney; *i* Cézanne, Kunsthaus Zurich; pág. 23: s John Ward, RA, RAAL; *i* Jane, Stanton; *pág. 26: s* Rembrandt, The British Museum; *i* Karen Raney; *pág. 27: s* Kay Gallwey; *i* Percy Horton; *pág. 28: s* Jason Bowyer; *ciz* Percy Horton; *id* Neale Worley; *pág. 29: sd* William Wood; *i* Neale Worley; *pág. 31: ta* Neale Worley; *págs. 32-33:* todas James Horton; *pág. 34: sd* Sue Sareen; *c* Neale Worley; *i* Richard Bell; *pág. 36: si* Norman Blamey, RA; *id* James Horton; *pág. 37:* todas Sharon Finmark; *pág. 40:* Miguel Ángel, Graphische Sammlung Albertina, Viena; *i* Thomas Newbolt; *pág. 41: s* Paul Lewin; *i* Donald Hamilton Fraser, RA, RAAL; *pág. 42:* todas James Horton; *pág. 44: ta* James Horton; *pág. 48: s* Thomas Newbolt; *i* Jon Harris; *págs. 48-49:* Boudin, Marmottan Museum/Dorling Kindersley; *pág. 49: sd* Jane Stanton; *ciz* Anne-Marie Butlin; *pág. 54: i* Richard Bell; *págs. 54-55:* Van Dyck, The British Museum; *pág. 55: s* Percy Horton; *i* Paul Lewin; *pág. 56: ta* James Horton; *págs. 58-59:* todas de Neale Worley; *pág. 60: si* Karen Raney; restantes William Wood; *pág. 62: si ta* Richard Bell; *pág. 64: s* Rubens, The British Museum; *i* Sue Sareen; *pág. 65: s* Diana Armfield, RA; *i* Norman Blamey, RA; *pág. 66: ta* James Horton; *pág. 68: s* John Ward, RA; restantes James Horton; *pág. 70: iz* James Horton.

Dorling Kindersley quisiera dar las gracias a Ruth Kendall por su ayuda y a Steve Gorton y su exceso de equipaje por ayudarnos a hacer posible las tomas fotográficas en Italia.

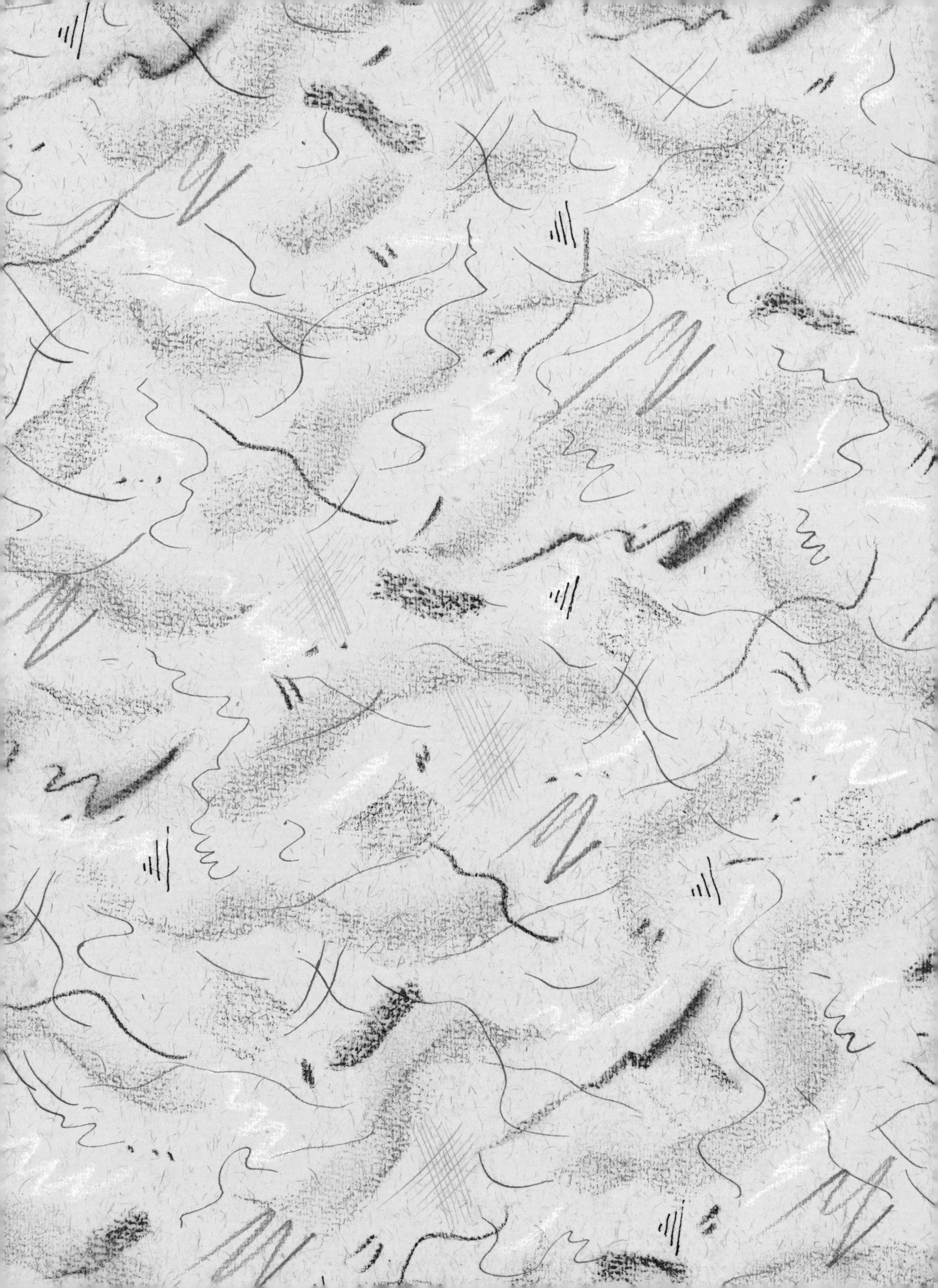